초등 수학 핵심파트 집중 완성

고프특강

초5

E 3

평균과 가능성

사고력
문제해결력

측정·규칙성
자료와 가능성

"진짜 히어로는 우리 아이들입니다!"

에듀히어로는
우리 아이들이 밝고 건강한 내일을 꿈꿀 수 있도록
긍정적이고 효과적인 교육 서비스를 제공하는 것을
최우선 목표로 하고 있습니다.

그 존재만으로도 든든한 히어로처럼 아이들의 곁에서 힘이 되어주고,
나아가 아이들 각자가 스스로의 인생 속 히어로가 될 수 있도록

우리는 진심과 열정을 다해 아이들과 함께 할 것을 약속 드립니다.

 네이버 카페

교재 상세 소개와 진단 테스트
및 유용하게 풀 수 있는
학습 자료를 다운로드 해 보세요.

 인스타그램

에듀히어로 인스타그램을
팔로우하시면 다양한 이벤트와
신간 소식을 빠르게 만나보실
수 있습니다.

 카카오톡 채널

자녀 수학 공부 상담 및
자유로운 질문을 남겨 주세요.
함께 고민하고
답변해 드리겠습니다.

히어로컨텐츠 HEROCONTENS

발행일: 2023년 3월   **발행인:** 이예찬

기획개발: 두줄수학연구소

디자인: 4BD STUDIO   **삽화:** 1000DAY

발행처: 히어로컨텐츠

주소: 서울특별시 금천구 서부샛길 632, 7층(대륭테크노타운5차)

전화: 02-862-2220   **팩스:** 02-862-2227

지원카페: cafe.naver.com/eduherocafe   **인스타그램:** @edu__hero   **카카오톡:** 에듀히어로

초등 수학 핵심파트 집중 완성 교과특강

수학을 잘 하기 위해서는 1) 수와 연산 2) 도형 3) 측정 4) 규칙성 5) 자료와 가능성 등 초등 수학 5대 학습 영역을 고르게 학습해야 합니다.

다른 교과 과목에 비해 많은 시간을 수학을 학습하는 데 할애하고 있지만 아쉽게도 대부분은 연산 영역에 편중되어 있습니다.

최근 들어 '도형' 등 연산 이외의 다른 영역으로 학습을 확장하는 교재들이 출간되고 있지만 여전히 학년별로 다양한 학습 영역과 필수 주제를 체계적으로 안내해 주는 학습지는 많지 않은 것이 현실입니다.

그런 이유로 교과특강은 학년별 필수 주제를 기본 개념부터 응용, 사고력까지 충분하게 학습하고 훈련할 수 있도록 개발되었습니다.

수학을 잘 하고 싶은 학생들에게 노력한 만큼의 성장을 이루어내는 데 교과특강은 좋은 토양과 밑거름이 되어줄 것입니다.

초등 수학 핵심파트 집중 완성 교과특강은

1. '자료 해석 능력'을 집중적으로 키웁니다.

앞으로의 학습은 주어진 표와 그래프를 보고 그 의미를 해석하고 추론하는 '자료 해석 능력'을 요구합니다. 실제로 초등 전학년 뿐만 아니라 중등 과정에서도 '자료 해석'은 학습자의 문제해결력을 확인하는 중요한 소재가 되고 있습니다.

다양한 표와 그래프를 이해하고 해석하는 학습은 초등 과정부터 미리 준비하고 집중적으로 훈련할 필요가 있습니다.

2. '측정', '규칙성' 등 필수 영역임에도 쉽게 지나칠 수 있는 주제를 체계적으로 학습합니다.

길이, 무게, 시간, 어림하기 등 초등 과정에서 쉽게 지나치기 쉬운 '측정'과 추론 능력을 길러주는 '규칙성'을 집중적으로 학습합니다.

3. 복습과 예습으로 학년과 학년 사이의 징검다리 역할을 합니다.

1학년에서 2학년, 2학년에서 3학년, 3학년에서 4학년 등 학년이 올라갈수록 특정 영역에서 수학이 갑자기 어려워지는 순간이 옵니다. 교과특강은 각 학년에서 반드시 짚고 넘어가야 하는 주제를 복습하면서 다음 학년을 위한 예습까지 할 수 있도록 개발되었습니다.

4. 문제해결력과 사고력을 길러줍니다.

기본적인 개념을 바탕으로 이를 응용하고 활용하는 문제해결력과 생각하는 힘을 길러줍니다.

초등 수학 핵심파트 집중 완성 **교과특강**은

7세부터 6학년까지 총 7단계 21권(단계별 3권)으로 구성되어 있으며 각 권은 하루에 1장씩 주 5회, 총 4주간 체계적으로 학습할 수 있습니다.

매주 5일차의 학습이 끝난 뒤엔 '생각더하기'를 통해 창의력과 사고력을 기르고, 4주의 학습이 끝난 뒤엔 '링크'와 '형성평가'로 관련 주제를 학습하고 교과 수학을 완성할 수 있습니다.

대 상	단 계	구 성
7세 ~ 1학년	P	P1, P2, P3
1학년	A	A1, A2, A3
2학년	B	B1, B2, B3
3학년	C	C1, C2, C3
4학년	D	D1, D2, D3
5학년	E	E1, E2, E3
6학년	F	F1, F2, F3

〈교과 수학 시리즈 E단계 로드맵〉

에듀히어로의 교과 수학 시리즈를 체계적으로 학습하기 위한 로드맵입니다.

예습을 하며 집중적으로 학습하려면 '영역별 집중 학습'을,

교과서 진도에 맞추어 학습하려면 '교과 진도 맞춤 학습'을 권장드립니다.

[영역별 집중 학습]

1월	2월	3월	4월	5월	6월
교과연산 E0 / 교과도경 E1	교과연산 E1 / 교과도경 E2	교과연산 E1 / 교과도경 E3	교과연산 E1 / 교과특강 E1	교과특강 E2	교과특강 E3

[교과 진도 맞춤 학습]

1월	2월	3월	4월	5월	6월	7월	8월	9월	10월
교과연산 E0	교과연산 E1	교과특강 E1	교과연산 E1	교과도경 E1	교과특강 E1	교과연산 E1	교과도경 E2	교과도경 E3	교과특강 E3

교과특강은 교과 수학을 완성합니다.

주제별 학습

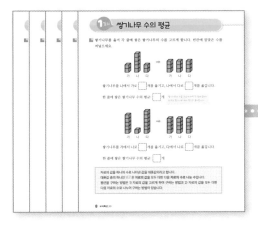

생각더하기

초등 수학을 주제별로 집중 학습합니다. 각 주차의 마지막에 있는 **생각더하기**로 문제해결력을 기릅니다.

링크

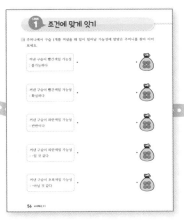

형성평가

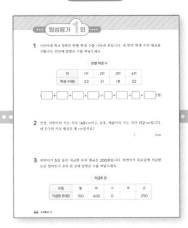

주제별 학습과 연결하여 사고력과 창의력을 향상시킬 수 있는 내용을 학습합니다.

2회의 형성평가로 배운 내용을 잘 알고 있는지 확인합니다.

이 책의 차례

1주차

평균의 이해

■ 쌓기나무를 옮겨 각 줄에 쌓은 쌓기나무의 수를 고르게 합니다. 빈칸에 알맞은 수를 써넣으세요.

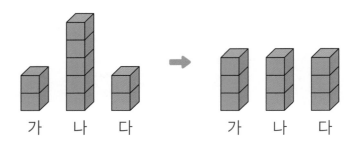

쌓기나무를 나에서 가로 ☐ 개를 옮기고, 나에서 다로 ☐ 개를 옮깁니다.

한 줄에 쌓은 쌓기나무 수의 평균: ☐ 개

쌓기나무의 수를 고르게 하면 한 줄에 3개가
되므로 쌓기나무 수의 평균은 3개입니다.

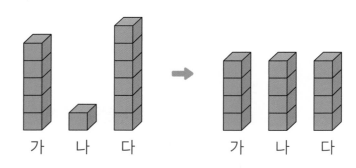

쌓기나무를 가에서 나로 ☐ 개를 옮기고, 다에서 나로 ☐ 개를 옮깁니다.

한 줄에 쌓은 쌓기나무 수의 평균: ☐ 개

자료의 값을 하나의 수로 나타낸 값을 대푯값이라고 합니다.
대푯값 중의 하나인 평균은 **자료의 값을** 모두 더한 다음 **자료의 수로 나눈** 수입니다.
평균을 구하는 방법은 1) 자료의 값을 고르게 하여 구하는 방법과 2) 자료의 값을 모두 더한 다음 자료의 수로 나누어 구하는 방법이 있습니다.

각 줄에 쌓은 쌓기나무의 수를 모두 더한 다음 줄의 수로 나눕니다. 빈칸에 알맞은 수를 써넣으세요.

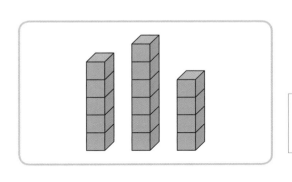

쌓기나무 수의 합:

$5+6+4=$ ☐ (개)

> 쌓기나무의 수를 모두 더해 줄의 수로 나누면 쌓기나무 수의 평균을 구할 수 있습니다.

한 줄에 쌓은 쌓기나무 수의 평균:

$15÷3=$ ☐ (개)

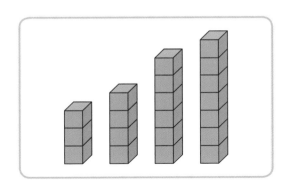

쌓기나무 수의 합:

$3+4+$ ☐ $+$ ☐ $=$ ☐ (개)

한 줄에 쌓은 쌓기나무 수의 평균:

☐ $÷$ ☐ $=$ ☐ (개)

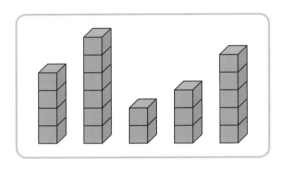

쌓기나무 수의 합:

$4+6+$ ☐ $+$ ☐ $+$ ☐ $=$ ☐ (개)

한 줄에 쌓은 쌓기나무 수의 평균:

☐ $÷$ ☐ $=$ ☐ (개)

막대 높이의 평균

📖 예성이네 모둠 활동을 조사하여 나타낸 막대그래프입니다. 막대의 높이를 고르게 하고 빈칸에 알맞은 수를 써넣으세요. (옮기는 막대만큼 ×표 하고, 옮겨간 칸에 색칠하세요.)

과녁에 화살을 맞힌 횟수

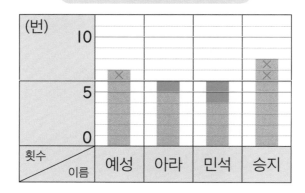

화살을 맞힌 횟수의 평균: **6**번

받은 칭찬 스티커 수

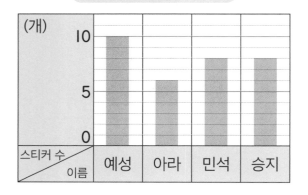

칭찬 스티커 수의 평균: ☐개

일주일 동안 읽은 책 수

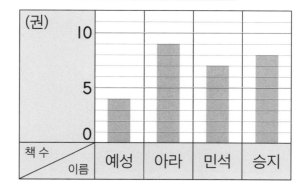

읽은 책 수의 평균: ☐권

제기차기 기록

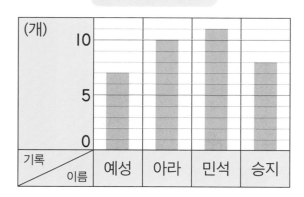

제기차기 기록의 평균: ☐개

지난 주 월요일부터 금요일까지 최저 기온과 최고 기온을 나타낸 막대그래프입니다.
빈칸에 알맞은 수를 써넣으세요.

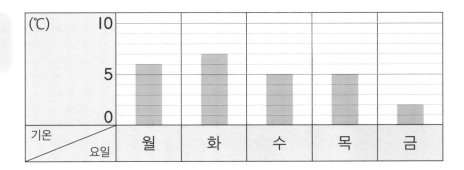

요일별 최저 기온의 합: 6+7+ ☐ + ☐ + ☐ = ☐ (℃)

요일별 최저 기온의 평균: ☐ ÷ ☐ = ☐ (℃)

최저 기온을 더한 합을 요일의 수로 나누면
요일별 최저 기온의 평균을 구할 수 있습니다.

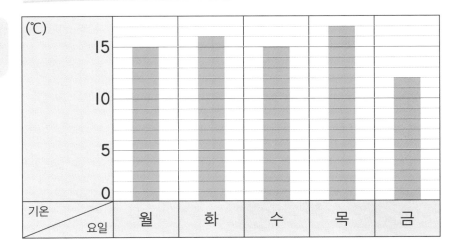

요일별 최고 기온의 합: 15+16+15+ ☐ + ☐ = ☐ (℃)

요일별 최고 기온의 평균: ☐ ÷ ☐ = ☐ (℃)

▪️ 설아가 지난 한 달 동안 읽은 책 수를 주별로 나타낸 막대그래프입니다. 설아가 매주 책을 1권씩 더 읽은 경우의 막대그래프를 그리고 빈칸에 알맞은 수를 써넣으세요.

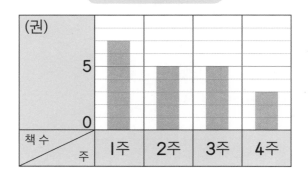

주별 읽은 책 수

4주 동안 읽은 책 수:

$7+\boxed{}+\boxed{}+\boxed{}=\boxed{}$ (권)

한 주에 읽은 책 수의 평균:

$\boxed{}\div\boxed{}=\boxed{}$ (권)

⬇️ 매주 책을 1권씩 더 읽은 경우

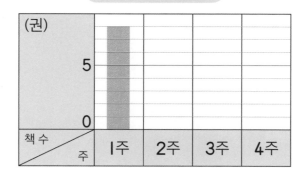

주별 읽은 책 수

4주 동안 읽은 책 수:

$8+\boxed{}+\boxed{}+\boxed{}=\boxed{}$ (권)

한 주에 읽은 책 수의 평균:

$\boxed{}\div\boxed{}=\boxed{}$ (권)

호준이네 가족이 먹은 귤의 수를 나타낸 막대그래프입니다. 동생이 귤을 4개 더 먹은 경우의 막대그래프를 그리고 빈칸에 알맞은 수를 써넣으세요.

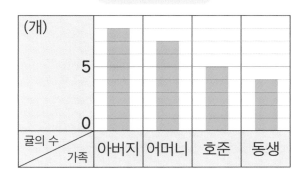

먹은 귤의 수

호준이네 가족이 먹은 귤의 수:

$8 + \boxed{} + \boxed{} + \boxed{} = \boxed{}$ (개)

호준이네 가족이 먹은 귤 수의 평균:

$\boxed{} \div \boxed{} = \boxed{}$ (개)

⬇ 동생이 귤을 4개 더 먹은 경우

먹은 귤의 수

호준이네 가족이 먹은 귤의 수:

$8 + \boxed{} + \boxed{} + \boxed{} = \boxed{}$ (개)

호준이네 가족이 먹은 귤 수의 평균:

$\boxed{} \div \boxed{} = \boxed{}$ (개)

■ 준상이가 어제와 오늘 볼링핀 쓰러뜨리기를 하여 쓰러뜨린 볼링핀의 수만큼 ○를 그려 나타내었습니다. 알맞은 말에 ○표 하세요.

어제 쓰러뜨린 볼링핀의 수

오늘 쓰러뜨린 볼링핀의 수

쓰러뜨린 전체 볼링핀의 수가 더 많은 날은 (어제 , 오늘)입니다.

볼링핀 쓰러뜨리기를 한 횟수가 더 많은 날은 (어제 , 오늘)입니다.

쓰러뜨린 볼링핀 수의 평균이 더 많은 날은 (어제 , 오늘)입니다.

> 평균을 구하려면 자료의 값과 자료의 수를 알아야 합니다.
> 어제 쓰러뜨린 볼링핀의 수 1회 5개, 2회 7개, 3회 9개에서 쓰러뜨린 볼링핀의 수 5, 7, 9는 각각 자료의 값이고, 볼링핀 쓰러뜨리기를 한 횟수 3은 자료의 수를 나타냅니다.

민희네 모둠과 승우네 모둠이 고리 던지기를 하여 넣은 고리의 수만큼 ○를 그려 나타 내었습니다. 물음에 답하세요.

민희네 모둠이 넣은 고리 수

민희	영우	세연	태민

승우네 모둠이 넣은 고리 수

승우	아람	한결	민영	치우

두 모둠은 각각 고리를 모두 몇 개 넣었나요?

민희네 모둠 (   )개, 승우네 모둠 (   )개

두 모둠의 구성원은 각각 몇 명인가요?

민희네 모둠 (   )명, 승우네 모둠 (   )명

두 모둠에서 넣은 고리 수의 평균은 각각 몇 개인가요?

민희네 모둠 (   )개, 승우네 모둠 (   )개

📖 재민이네 학교 **5**학년 반별로 안경을 쓴 학생 수를 나타낸 막대그래프의 일부입니다.
물음에 답하세요.

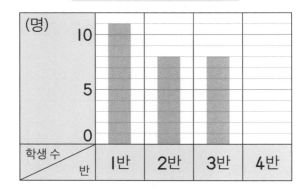

반별 안경을 쓴 학생 수

1반부터 **3**반까지 안경을 쓴 학생은 모두 몇 명인가요?

( )명

4반을 제외한 세 반에서 안경을 쓴 학생 수의 평균은 몇 명인가요?

( )명

4반에서 안경을 쓴 학생이 **9**명이라면 **1**반부터 **4**반까지 네 반에서 안경을
쓴 학생 수의 평균은 몇 명인가요?

( )명

하은이네 모둠에서 축구공 차기를 하여 공을 넣은 횟수만큼 ○를 그려 나타내었습니다. 물음에 답하세요.

공을 넣은 횟수

하은	○	○	○	○	○				
태진	○	○	○	○	○	○	○	○	○
다정	○	○	○	○					
주원									

주원이를 제외한 세 학생의 공을 넣은 횟수의 평균은 몇 번인가요?

( )번

주원이가 공을 6번 넣었다면 하은이네 모둠에서 공을 넣은 횟수의 평균은 몇 번인가요?

( )번

주원이가 공을 10번 넣었다면 하은이네 모둠에서 공을 넣은 횟수의 평균은 몇 번인가요?

( )번

방과 후 활동

동진이네 학교 5학년에서 방과 후 활동에 참여하는 학생을 반별로 나타낸 막대그래프입니다. 바르게 설명한 것의 기호를 모두 써 보세요.

방과 후 활동에 참여하는 반별 학생 수

㉠ 방과 후 활동에 참여하는 반별 학생 수의 평균은 8명입니다.

㉡ 참여하는 1반과 2반의 학생 수가 서로 바뀌면 평균은 달라집니다.

㉢ 3반에서 1명이 더 참여한다면 참여하는 학생 수의 평균은 9명이 됩니다.

㉣ 각 반에서 1명씩 더 참여한다면 참여하는 학생 수의 평균은 9명이 됩니다.

(   )

2주차 평균 구하기

📖 두 가지 방법으로 네 수의 평균을 구합니다. 빈칸에 알맞은 수를 써넣으세요.

24
22
21
21

방법 1 평균을 22로 예상한 후 22, (24, 21, ☐)로 수를 옮기고

짝 지어 자료의 값을 고르게 하면 평균은 ☐ 입니다.

24에서 21, 21로 각각 1씩 옮겨 고르게 하면 22입니다.

방법 2 (24+22+21+21)÷ ☐ = ☐ ÷ ☐ = ☐

50
51
55
56

방법 1 평균을 53으로 예상한 후 (50, ☐), (51, ☐)로 수를

옮기고 짝 지어 자료의 값을 고르게 하면 평균은 ☐ 입니다.

방법 2 (50+51+55+56)÷ ☐ = ☐ ÷ ☐ = ☐

네 수의 평균을 구하는 방법을 알아봅시다.

30   35   30   25

방법1) 평균을 예상하여 자료의 값을 고르게 하기

평균을 30으로 예상한 후 (30, 30), (35, 25)로 수를 옮기고 짝 지어 자료의 값을 고르게 하면 평균은 30입니다.   35에서 25로 5를 옮깁니다.

방법2) 자료의 값을 모두 더해 자료의 수로 나누기

(30+35+30+25)÷4=120÷4=30

■ 두 가지 방법으로 다섯 수의 평균을 구합니다. 빈칸에 알맞은 수를 써넣으세요.

| 14 | 12 | 18 | 16 | 20 |

방법 1 평균을 16으로 예상한 후 16, (14, ☐), (12, ☐)으로 수를 옮기고

짝 지어 자료의 값을 고르게 하면 평균은 ☐입니다.

방법 2 (☐+☐+☐+☐+☐)÷☐

= ☐÷☐=☐

| 40 | 30 | 35 | 25 | 45 |

방법 1 평균을 35로 예상한 후 35, (40, ☐), (25, ☐)로 수를 옮기고

짝 지어 자료의 값을 고르게 하면 평균은 ☐입니다.

방법 2 (☐+☐+☐+☐+☐)÷☐

= ☐÷☐=☐

📖 자료의 값과 자료의 수가 주어질 때 평균을 구해 보세요.

지인이네 모둠에서 독서한 시간

이름	지인	우종	예슬	민준
독서 시간(분)	40	50	35	55

➡ 독서 시간의 평균
( )분

자료의 값: 40, 50, 35, 55
자료의 수: 4

우진이네 가족이 딴 사과의 수

가족	아버지	어머니	형	우진
사과의 수(개)	27	33	24	28

➡ 딴 사과 수의 평균
( )개

나현이의 줄넘기 기록

회	1회	2회	3회	4회	5회
넘은 횟수(번)	55	60	62	63	60

➡ 넘은 횟수의 평균
( )번

[자료의 값을 더한 수, 자료의 수, 평균의 관계]

(자료의 값＋자료의 값＋자료의 값＋……)÷(자료의 수)＝(평균)

➡ (자료의 값을 더한 수)÷(자료의 수)＝(평균)

➡ (평균)×(자료의 수)＝(자료의 값을 더한 수)

윤호네 가족과 연지네 가족의 나이를 나타낸 표입니다. 빈칸에 알맞은 수 또는 말을 써넣으세요.

윤호네 가족의 나이

가족	나이(살)
아버지	45
어머니	41
윤호	12
동생	10

연지네 가족의 나이

가족	나이(살)
아버지	43
어머니	43
언니	13
연지	12
동생	4

윤호네 가족은 ☐ 명, 연지네 가족은 ☐ 명입니다.

가족 구성원의 수가 더 많은 가족은 ☐ 네 가족입니다.

윤호네 가족의 나이 평균은 ☐ 살입니다.

연지네 가족의 나이 평균은 ☐ 살입니다.

가족의 나이 평균이 더 많은 가족은 ☐ 네 가족입니다.

자료의 값을 더한 수와 자료의 수가 주어질 때 평균을 구해 보세요.

모둠별 학생 수와 받은 칭찬 도장의 수

모둠	l모둠	2모둠	3모둠	4모둠
모둠 학생 수(명)	4	5	4	5
칭찬 도장의 수(개)	24	30	28	40

⬇

모둠	l모둠	2모둠	3모둠	4모둠
칭찬 도장 수의 평균(개)				

l모둠 자료의 값을 더한 수: 24
l모둠 자료의 수: 4

학생별 제기차기 횟수와 기록

이름	찬희	아진	태은	민욱
시도한 횟수(회)	6	6	8	8
기록의 합(개)	60	48	64	72

⬇

이름	찬희	아진	태은	민욱
기록의 평균(개)				

현진이네 반 모둠별 학생 수와 각 모둠에서 일주일 동안 읽은 책 수를 나타낸 표입니다.
올바른 말에 ○표, 틀린 말에 ✕표 하세요.

모둠별 학생 수와 읽은 책의 수

모둠	1모둠	2모둠	3모둠	4모둠	5모둠
모둠 학생 수(명)	5	5	4	4	3
읽은 책의 수(권)	30	20	20	32	21

1모둠의 읽은 책 수의 평균은 6권입니다. ⸺⸺⸺⸺ ( )

읽은 책 수의 평균이 5권인 모둠은 2모둠입니다. ⸺⸺ ( )

5모둠은 1모둠보다 읽은 책 수의 평균이 더 많습니다. ⸺⸺ ( )

읽은 책 수의 평균이 가장 많은 모둠은 5모둠입니다. ⸺⸺ ( )

읽은 책 수의 평균이 가장 적은 모둠은 2모둠입니다. ⸺⸺ ( )

■ 월요일부터 금요일까지 5일 동안 최고 기온을 나타낸 표입니다. 물음에 답하세요.

요일별 최고 기온

요일	월	화	수	목	금
기온(℃)	23	17	21	25	24

요일별 최고 기온의 평균은 몇 ℃인가요?

(   )℃

최고 기온이 평균보다 더 높은 요일을 모두 써 보세요.

(   )

월요일의 최고 기온은 평균보다 몇 ℃ 더 높은가요?

(   )℃

화요일의 최고 기온은 평균보다 몇 ℃ 더 낮은가요?

(   )℃

■ 학생들의 키를 나타낸 표입니다. 물음에 답하세요.

학생들의 키

이름	준수	인아	다빈	정민	로건
키(cm)	145	147	146	144	148

학생들 키의 평균은 몇 cm인가요?

( )cm

키가 평균보다 큰 학생들이 농구 대회에 참가하기로 했습니다. 농구 대회에 참가하는 학생의 이름을 모두 써 보세요.

( )

키가 가장 큰 학생은 평균보다 몇 cm 더 큰가요?

( )cm

키가 가장 작은 학생은 평균보다 몇 cm 더 작은가요?

( )cm

5일차 자료의 값을 더한 수

■ 자료의 수와 평균이 주어질 때 자료의 값을 더한 수를 구해 보세요.

학년별 학급 수와 학생 수

학년	3학년	4학년	5학년	6학년
학급 수(개)	4	4	5	6
학생 수(명)				

학년	3학년	4학년	5학년	6학년
학생 수의 평균(명)	20	21	23	26

3학년 자료의 수: 4
3학년 평균: 20

지난 주 운동한 날수와 시간

이름	지은	유준	서우	한결
날수(일)	3	6	5	5
운동 시간의 합(분)				

이름	지은	유준	서우	한결
운동 시간의 평균(분)	60	30	45	50

물음에 답하세요.

다인이네 학교 5학년은 1반부터 5반까지 있고, 학급당 학생 수의 평균이 25명입니다. 다인이네 학교 5학년 학생은 모두 몇 명일까요?

( )명

어느 해 5월부터 8월까지 4달 동안 비 온 날수의 평균이 13일입니다. 4달 동안 비 온 날은 모두 며칠일까요?

( )일

아버지, 어머니, 해진, 동생이 딴 밤의 수의 평균이 53개입니다. 네 사람이 딴 밤은 모두 몇 개일까요?

( )개

민호가 1주일 동안 컴퓨터를 사용한 시간의 평균이 50분입니다. 민호가 1주일 동안 컴퓨터를 사용한 시간은 모두 몇 분일까요?

( )분

고장 난 버스

체험 학습을 가기 위해 버스 11대에 학생들이 각각 30명씩 탔습니다. 그런데 버스 한 대가 고장 나서 학생들이 버스 10대에 나누어 탔습니다. 이때 버스에 탄 학생 수의 평균은 몇 명일까요?

버스에 탄 학생 수의 평균 (   )명

3주차

평균의 이용

수민이네 모둠이 투호에서 넣은 화살 수를 나타낸 표입니다. 수민이네 모둠이 넣은 화살 수의 평균은 5개입니다. 물음에 답하세요.

넣은 화살 수

이름	수민	정호	유연	기석
넣은 화살 수(개)	7	2		5

수민이네 모둠의 학생 수는 몇 명인가요?

( )명

수민이네 모둠이 넣은 화살은 모두 몇 개인가요?

평균과 자료의 수를 알면 자료의 값을 더한 수를 구할 수 있습니다.

( )개

유연이가 넣은 화살은 몇 개인가요?

( )개

■ 물음에 답하세요.

> 지윤이네 학교 **5**학년 반별 학생 수를 나타낸 표입니다. 학생 수의 평균이 **23**명일 때, **3**반 학생은 몇 명일까요?

5학년 전체 학생 수를 먼저 구합니다.

반별 학생 수

반	1반	2반	3반	4반
학생 수(명)	23	20		25

(   )명

> 경민이가 마신 물의 양을 나타낸 표입니다. 경민이가 **5**일 동안 마신 물의 양의 평균이 **1000** mL일 때, 경민이가 금요일에 마신 물은 몇 mL일까요?

마신 물의 양

요일	월	화	수	목	금
물의 양(mL)	900	950	1100	1150	

(   )mL

■ 퀴즈 대회에서 지수네 모둠과 원우네 모둠이 맞힌 문제 수를 나타낸 표이고, 두 모둠이 맞힌 문제 수의 평균이 같습니다. 물음에 답하세요.

지수네 모둠이 맞힌 문제 수

이름	맞힌 문제 수(개)
지수	8
민석	9
주연	6
재혁	5

원우네 모둠이 맞힌 문제 수

이름	맞힌 문제 수(개)
원우	6
다은	
혜주	10
성훈	5
건우	6

지수네 모둠이 맞힌 문제 수의 평균은 몇 개인가요?　　　(　　　)개

원우네 모둠이 맞힌 문제 수의 평균은 몇 개인가요?　　　(　　　)개

원우네 모둠이 맞힌 문제 수는 모두 몇 개인가요?　　　(　　　)개

다은이가 맞힌 문제는 몇 개인가요?　　　(　　　)개

물음에 답하세요.

태권도를 배우는 학생의 나이를 나타낸 표입니다. 나이의 평균이 12살일 때, 나이가 가장 많은 학생은 누구일까요?

학생들의 나이

이름	재민	연수	가람	대호	지석
나이(살)	13	11		10	12

( )

승효의 오래 매달리기 기록을 나타낸 표입니다. 5일 동안 오래 매달리기 기록의 평균이 30초일 때, 가장 짧게 매달린 요일은 무슨 요일일까요?

오래 매달리기 기록

요일	월	화	수	목	금
시간(초)	20	35	30	40	

( )

■ 수의 평균을 구해 보세요.

| 24 | 20 | 28 | | ➡ 평균 (   ) |

| 24 | 20 | 28 | 24 | ➡ 평균 (   ) |

| 54 | 44 | 52 | | ➡ 평균 (   ) |

| 54 | 44 | 52 | 54 | ➡ 평균 (   ) |

| 30 | 44 | 41 | 37 | ➡ 평균 (   ) |

| 30 | 44 | 41 | 37 | 38 | ➡ 평균 (   ) |

| 15 | 25 | 14 | 18 | ➡ 평균 (   ) |

| 15 | 25 | 14 | 18 | 13 | ➡ 평균 (   ) |

지후의 줄넘기 기록입니다. 빈칸에 알맞은 수를 써넣고 알맞은 말에 ◯표 하세요.

지후의 줄넘기 기록

회	1회	2회	3회	4회
넘은 횟수(번)	65	44	61	58

4회 동안 줄넘기 기록의 평균은 ☐ 번입니다.

5회 동안 줄넘기 기록의 평균이 4회 동안 줄넘기 기록의 평균과 같으려면

5회째는 ☐ 번 넘어야 합니다.

5회 동안 줄넘기 기록의 평균이 4회 동안 줄넘기 기록의 평균보다 많으려면

5회째는 ☐ 번보다 (많이 , 적게) 넘어야 합니다.

5회 동안 줄넘기 기록의 평균이 4회 동안 줄넘기 기록의 평균보다 적으려면

5회째는 ☐ 번보다 (많이 , 적게) 넘어야 합니다.

■ 물음에 답하세요.

나은이가 책을 읽은 시간을 나타낸 표입니다. 금요일에는 책을 50분 읽었다면 금요일을 포함하여 5일 동안 책을 읽은 시간의 평균은 몇 분일까요?

책을 읽은 시간

요일	월	화	수	목
시간(분)	40	20	55	35

(   )분

수현이네 가족의 나이를 나타낸 표입니다. 할머니의 나이가 72살이라면 할머니를 포함한 수현이네 가족 나이의 평균은 몇 살일까요?

수현이네 가족의 나이

가족	아버지	어머니	수현	동생
나이(살)	45	43	12	8

(   )살

■ 규성이의 달리기 기록입니다. 물음에 답하세요.

규성이의 달리기 기록

회	1회	2회	3회	4회	5회
걸린 시간(초)	18	16	18	20	

5회를 제외한 4회 동안 달리기 기록의 평균은 몇 초인가요?

( )초

5회 동안 달리기 기록의 평균이 4회 동안 달리기 기록의 평균과 같으려면 5회째 달리기 기록은 몇 초여야 하나요?

( )초

규성이가 5회째 달리는 도중 넘어져 기록이 28초가 나왔습니다. 5회 동안 달리기 기록의 평균은 몇 초인가요?

( )초

빈칸에 알맞은 수를 써넣으세요.

용주네 반에서 일주일 동안 책을 **60**권 읽으려고 합니다.

용주네 반에 **5**모둠이 있다면 한 모둠당 책을 평균 ☐ 권씩 읽어야 합니다.

한 모둠당 학생이 **4**명씩 있다면 한 명당 책을 평균 ☐ 권씩 읽어야 합니다.

농장에서 사과를 **400**개 따려고 합니다.

8가족이 따려면 한 가족당 사과를 평균 ☐ 개씩 따야 합니다.

한 가족당 **5**명씩 있다면 한 명당 사과를 평균 ☐ 개씩 따야 합니다.

다민이네 학교 5학년 반별 학생 수를 나타낸 표이고, 5학년 학생들이 헌 종이 500 kg을 모으려고 합니다. 물음에 답하세요.

반별 학생 수

반	1반	2반	3반	4반	5반
학생 수(명)	21	18	19	20	22

헌 종이 500 kg을 모으려면 한 반당 평균 몇 kg씩 모아야 하나요?

( )kg

5학년 한 반당 학생 수의 평균은 몇 명인가요?

( )명

헌 종이를 모으려면 학생 한 명당 평균 몇 kg씩 모아야 하나요?

( )kg

평균 올리기

준영이의 1학기 시험 점수를 나타낸 표입니다. 2학기 시험에서는 평균 점수를 1학기 평균 점수보다 1점 더 높이려고 합니다. 평균 점수를 1점 더 높이는 방법으로 알맞은 것의 기호를 모두 써 보세요.

1학기 시험 점수

과목	국어	수학	사회	과학
점수(점)	80	90	95	75

㉠ 1학기 점수에서 국어 점수만 1점 더 높입니다.
㉡ 1학기 점수에서 네 과목의 점수를 각각 4점씩 더 높입니다.
㉢ 1학기 점수에서 과학 점수만 4점 더 높입니다.
㉣ 1학기 점수에서 네 과목의 점수를 각각 1점씩 더 높입니다.

(   )

4 주차 가능성

■ 일이 일어날 가능성을 알맞게 표현한 것을 찾아 이어 보세요.

동전을 던지면 숫자 면이 나올 것입니다. •

12월 31일 다음 날은 12월 32일일 것입니다. •

초록색 공만 들어 있는 주머니에서 꺼낸 공은 초록색일 것입니다. •

동전을 세 번 던지면 모두 그림 면이 나올 것입니다. •

친구와 가위바위보를 한 번 하면 이기거나 질 것입니다. •

• 불가능하다

• ~아닐 것 같다

• 반반이다

• ~일 것 같다

• 확실하다

어떠한 상황에서 특정한 일이 일어나길 기대할 수 있는 정도를 가능성이라고 합니다.
가능성의 정도는 불가능하다, ~아닐 것 같다, 반반이다, ~일 것 같다, 확실하다 등으로 표현할 수 있습니다.
• 노란색 공만 들어 있는 주머니에서 꺼낸 공이 파란색인 일은 불가능합니다.
• 추운 날씨에 반팔을 입은 사람은 긴팔을 입은 사람보다 많지 않을 것 같습니다.
• 주사위를 굴려 나온 수가 짝수일 가능성은 반반입니다.
• 내년 7월에는 9월보다 비 온 날이 더 많을 것 같습니다.
• 오늘이 월요일이면 내일이 화요일인 일은 확실합니다.

■ 일이 일어날 가능성이 더 높은 것에 ○표 하세요.

올해 7살인 내 동생은 내년에 8살이 될 것입니다.

오전 9시에서 1시간 후는 오전 11시일 것입니다.

( )　　　　　　　( )

처음 만난 친구의 생일은 5월일 것입니다.

금요일 다음 날은 토요일일 것입니다.

( )　　　　　　　( )

은행에서 뽑은 번호표에 적힌 수가 홀수일 것입니다.

계산기에 6 + 4 = 을 누르면 9가 나올 것입니다.

( )　　　　　　　( )

일이 일어날 가능성이 높은 것과 낮은 것을 비교할 수 있습니다.

← 일이 일어날 가능성이 낮습니다.　　　　　일이 일어날 가능성이 높습니다. →

~아닐 것 같다	~일 것 같다

불가능하다　　　　　　반반이다　　　　　　확실하다

그림과 같이 주머니에 구슬이 들어 있습니다. 주머니에서 구슬 1개를 꺼낼 때 일이 일어날 가능성을 알맞게 표현한 것을 찾아 이어 보세요.

꺼낸 구슬이 파란색일 것입니다. •

• 불가능하다

꺼낸 구슬이 초록색일 것입니다. •

• ~아닐 것 같다

꺼낸 구슬이 빨간색일 것입니다. •

• 반반이다

꺼낸 구슬이 빨간색일 것입니다. •

• ~일 것 같다

꺼낸 구슬이 파란색일 것입니다. •

• 확실하다

주머니에서 구슬을 꺼냈다 넣었다를 **40**번 반복하여 구슬을 꺼냈을 때 나온 색깔을 나타낸 표입니다. 일이 일어날 가능성이 가장 비슷한 주머니의 기호를 써 보세요.

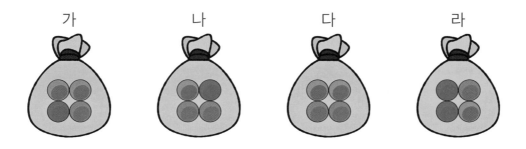

색깔	빨간색	보라색	초록색
횟수(번)	11	10	19

➡ ( )

색깔	빨간색	보라색	초록색
횟수(번)	18	0	22

➡ ( )

색깔	빨간색	보라색	초록색
횟수(번)	23	9	8

➡ ( )

색깔	빨간색	보라색	초록색
횟수(번)	9	20	11

➡ ( )

■ 1부터 6까지의 눈이 그려진 주사위가 있습니다. 주사위를 굴릴 때 일이 일어날 가능성을 찾아 ○표 하세요.

주사위 눈의 수가 **7**이 나올 것입니다.

(불가능하다 , ~아닐 것 같다 , 반반이다 , ~일 것 같다 , 확실하다)

주사위 눈의 수가 짝수로 나올 것입니다.

(불가능하다 , ~아닐 것 같다 , 반반이다 , ~일 것 같다 , 확실하다)

주사위 눈의 수가 1보다 큰 수가 나올 것입니다.

(불가능하다 , ~아닐 것 같다 , 반반이다 , ~일 것 같다 , 확실하다)

두 번 굴리면 주사위 눈의 수가 모두 **6**이 나올 것입니다.

(불가능하다 , ~아닐 것 같다 , 반반이다 , ~일 것 같다 , 확실하다)

⬛ 1부터 6까지의 수가 적힌 주사위를 한 번 굴립니다. 일이 일어날 가능성이 낮은 순서대로 기호를 써 보세요.

> ⊙ 주사위의 수가 홀수로 나올 가능성
> ⓒ 주사위의 수가 7보다 작은 수로 나올 가능성
> ⓒ 주사위의 수가 3이 나올 가능성

(,   ,   )

> ⊙ 주사위의 수가 10이 나올 가능성
> ⓒ 주사위의 수가 5보다 큰 수로 나올 가능성
> ⓒ 주사위의 수가 2 이상으로 나올 가능성

(,   ,   )

> ⊙ 주사위의 수가 6보다 작은 수로 나올 가능성
> ⓒ 주사위의 수가 7 이상으로 나올 가능성
> ⓒ 주사위의 수가 2의 배수로 나올 가능성

(,   ,   )

> ⊙ 주사위의 수가 1이 나올 가능성
> ⓒ 주사위의 수가 1 이상 6 이하로 나올 가능성
> ⓒ 주사위의 수가 3 이하로 나올 가능성

(,   ,   )

회전판 돌리기

■ 여러 가지 회전판이 있습니다. 빈칸에 알맞은 회전판의 기호를 써넣으세요.

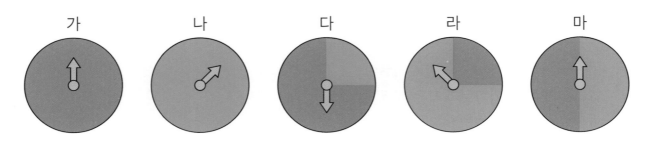

화살이 파란색에 멈추는 것이 불가능한 회전판은 ☐ 입니다.

화살이 파란색에 멈추는 것이 확실한 회전판은 ☐ 입니다.

화살이 파란색과 빨간색에 멈출 가능성이 비슷한 회전판은 ☐ 입니다.

다와 **라** 중 화살이 빨간색에 멈출 가능성이 더 높은 회전판은 ☐ 입니다.

라와 **마** 중 화살이 파란색에 멈출 가능성이 더 높은 회전판은 ☐ 입니다.

화살이 파란색에 멈출 가능성이 높은 순서대로 ☐ , ☐ , ☐ , ☐ , ☐ 입니다.

빨간색, 파란색, 노란색으로 만든 회전판이 있습니다. 물음에 답하세요.

가   나   다

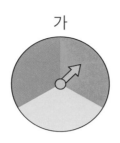 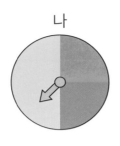 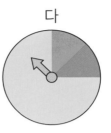

화살이 노란색에 멈출 가능성이 파란색에 멈출 가능성의 **2**배인 회전판의 기호를 써 보세요.

(   )

어떤 회전판을 **60**번 돌려 화살이 멈춘 횟수를 나타낸 표입니다. 표와 일이 일어날 가능성이 가장 비슷한 회전판의 기호를 써 보세요.

색깔	빨간색	파란색	노란색
횟수(번)	20	l9	2l

(   )

화살이 노란색에 멈출 가능성이 높은 순서대로 기호를 써 보세요.

(,   ,   )

🔳 회전판을 돌렸을 때 노란색에 멈출 가능성에 ↓로 나타내어 보세요.

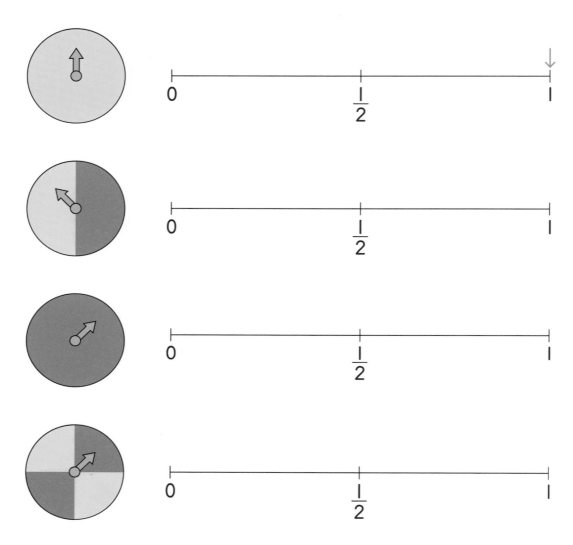

일이 일어날 가능성이 '불가능하다'이면 0, '반반이다'이면 $\frac{1}{2}$, '확실하다'이면 I로 일이 일어날 가능성을 수로 표현할 수 있습니다.

불가능하다	반반이다	확실하다
0	$\frac{1}{2}$	I

■ 물음에 답하세요.

검은색 바둑돌만 들어 있는 통에서 바둑돌 |개를 꺼낼 때, 흰색일 가능성을
말과 수로 표현해 보세요.

말 (　　　　　　　　　　　　)

수 (　　　　　　)

다음 구슬 중에서 |개를 뽑을 때, 구슬에 적힌 수가 홀수일 가능성을 말과
수로 표현해 보세요.

① ③ ⑤ ⑦ ⑨

말 (　　　　　　　　　　　　)

수 (　　　　　　)

다음 카드 중에서 |장을 뽑을 때, ○ 카드를 뽑을 가능성을 말과 수로
표현해 보세요.

○ ✕ ✕ ○ ✕ ○

말 (　　　　　　　　　　　　)

수 (　　　　　　)

구슬의 색깔과 수

주머니에 1부터 10까지의 수가 적혀 있는 빨간색과 파란색 구슬이 들어 있습니다. 구슬 1개를 꺼냈을 때 일이 일어날 가능성이 낮은 순서대로 기호를 써 보세요.

> ㉠ 꺼낸 구슬이 파란색일 가능성
> ㉡ 꺼낸 구슬에 적힌 수가 짝수일 가능성
> ㉢ 꺼낸 구슬에 수가 적혀 있을 가능성
> ㉣ 꺼낸 구슬이 빨간색일 가능성
> ㉤ 꺼낸 구슬에 적힌 수가 11일 가능성

(,   ,   ,   ,   )

링크 조건과 가능성

주머니에서 구슬 I개를 꺼냈을 때 일이 일어날 가능성에 알맞은 주머니를 찾아 이어 보세요.

꺼낸 구슬이 빨간색일 가능성
: 불가능하다

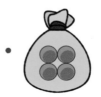

꺼낸 구슬이 빨간색일 가능성
: 확실하다

꺼낸 구슬이 파란색일 가능성
: 반반이다

꺼낸 구슬이 파란색일 가능성
: ~일 것 같다

꺼낸 구슬이 초록색일 가능성
: ~아닐 것 같다

회전판을 돌렸을 때 일이 일어날 가능성에 알맞은 회전판을 찾아 이어 보세요.

화살이 노란색에 멈출 가능성이 없는 회전판 •

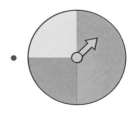

화살이 파란색에 멈출 가능성이 가장 높은 회전판 •

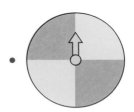

화살이 빨간색에 멈출 가능성과 노란색에 멈출 가능성이 같은 회전판 •

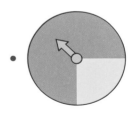

화살이 노란색에 멈출 가능성이 파란색에 멈출 가능성의 2배인 회전판 •

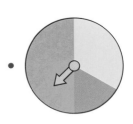

화살이 노란색에 멈출 가능성과 파란색에 멈출 가능성이 같은 회전판 •

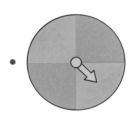

주머니에 빨간색 또는 파란색 구슬 4개가 들어 있습니다. 주머니에서 구슬 1개를 꺼냈을 때 일이 일어날 가능성에 알맞게 구슬을 색칠해 보세요.

꺼낸 구슬이 파란색일 가능성
: 확실하다

꺼낸 구슬이 빨간색일 가능성
: ~일 것 같다

꺼낸 구슬이 빨간색일 가능성
: 불가능하다

꺼낸 구슬이 파란색일 가능성
: 반반이다

꺼낸 구슬이 빨간색일 가능성
: ~아닐 것 같다

▨ 물음에 답하세요.

동전 |개를 던져 그림 면이 나올 가능성과 구슬 |개를 꺼낼 때 초록색일 가능성이 같도록 구슬을 색칠해 보세요.

|부터 6까지의 수가 적힌 주사위를 굴려 나온 수가 | 이상일 가능성과 구슬 |개를 꺼낼 때 빨간색일 가능성이 같도록 구슬을 색칠해 보세요.

회전판을 돌려 화살이 노란색에 멈출 가능성과 구슬 |개를 꺼낼 때 파란색 일 가능성이 같도록 구슬을 색칠해 보세요.

회전판 색칠하기

설명에 맞게 회전판을 색칠해 보세요.

• 화살이 파란색에 멈출 가능성과 빨간색에 멈출 가능성이 같습니다.

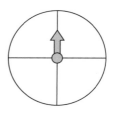

• 화살이 노란색에 멈출 가능성은 파란색에 멈출 가능성의 2배입니다.

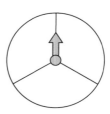

• 화살이 파란색에 멈출 가능성이 가장 높습니다.
• 화살이 빨간색에 멈출 가능성과 노란색에 멈출 가능성이 같습니다.

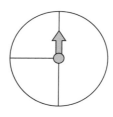

• 화살이 노란색에 멈출 가능성이 가장 높습니다.
• 화살이 파란색에 멈출 가능성은 빨간색에 멈출 가능성의 2배입니다.

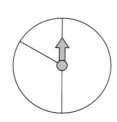

◾ 물음에 답하세요.

빨간색 공 **4**개가 들어 있는 상자에서 공 **1**개를 꺼낼 때 빨간색일 가능성과
화살이 파란색에 멈출 가능성이 같도록 회전판을 색칠해 보세요.

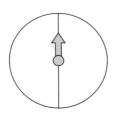

○✕ 퀴즈에서 ○라고 답했을 때 정답을 맞혔을 가능성과 화살이 노란색에
멈출 가능성이 같도록 회전판을 색칠해 보세요.

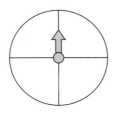

1부터 **6**까지의 수가 적힌 주사위를 굴려 나온 수가 홀수일 가능성과 화살
이 빨간색에 멈출 가능성이 같도록 회전판을 색칠해 보세요.

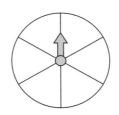

memo

형성평가

1 시안이네 학교 5학년 반별 학생 수를 나타낸 표입니다. 네 반의 학생 수의 평균을 구합니다. 빈칸에 알맞은 수를 써넣으세요.

반별 학생 수

반	1반	2반	3반	4반
학생 수(명)	23	21	18	22

$$\left(\boxed{} + \boxed{} + \boxed{} + \boxed{} \right) \div \boxed{} = \boxed{} \div \boxed{} = \boxed{} \text{(명)}$$

2 민찬, 서연이의 키는 각각 148 cm이고, 윤호, 예솔이의 키는 각각 152 cm입니다. 네 친구의 키의 평균은 몇 cm일까요?

(   )cm

3 하연이가 5일 동안 저금한 돈의 평균은 200원입니다. 하연이가 목요일에 저금한 돈은 얼마인지 표의 빈 곳에 알맞은 수를 써넣으세요.

저금한 돈

요일	월	화	수	목	금
저금한 돈(원)	150	400	0		250

4 현서네 모둠의 제기차기 기록을 나타낸 표입니다. 제기차기 기록이 12개인 준이가 현서네 모둠이 되었습니다. 준이의 기록을 포함한 현서네 모둠의 제기차기 기록의 평균은 몇 개일까요?

현서네 모둠의 제기차기 기록

이름	현서	다울	진영	희성
제기차기 기록(개)	8	4	11	5

(   )개

※ 가 상자에는 검은색 바둑돌 2개와 흰색 바둑돌 2개, 나 상자에는 검은색 바둑돌 4개가 들어 있습니다. 상자에서 바둑돌 1개를 꺼냅니다. 물음에 답하세요. (5~6)

5 가 상자에서 꺼낸 바둑돌이 검은색일 가능성을 말과 수로 표현해 보세요.

말 (   )   수 (   )

6 가능성이 높은 순서대로 기호를 써 보세요.

> ㉠ 가 상자에서 꺼낸 바둑돌이 흰색일 가능성
> ㉡ 나 상자에서 꺼낸 바둑돌이 검은색일 가능성
> ㉢ 나 상자에서 꺼낸 바둑돌이 흰색일 가능성

(,   ,   )

※ 월요일부터 금요일까지 최고 기온을 나타낸 표입니다. 물음에 답하세요. (1~2)

요일별 최고 기온

요일	월	화	수	목	금
기온(℃)	30	34	35	32	29

1 요일별 최고 기온의 평균은 몇 ℃일까요?

(   )℃

2 요일별 최고 기온의 평균보다 최고 기온이 더 높은 요일을 모두 구해 보세요.

(   )

3 진원이네 반에서 종이학 240개를 접으려고 합니다. 진원이네 반에 여섯 모둠이 있고, 각 모둠에 학생이 5명씩 있습니다. 빈칸에 알맞은 수를 써넣으세요.

한 모둠당 접어야 하는 종이학 수의 평균은 [ ]개이고,

한 명당 접어야 하는 종이학 수의 평균은 [ ]개입니다.

4 은기네 모둠이 도서관에서 빌린 책의 수를 나타낸 표입니다. 은기네 모둠이 빌린 책 수의 평균이 **23**권이고, 세영이와 유하가 빌린 책의 수가 같습니다. 세영이가 빌린 책은 몇 권일까요?

빌린 책의 수

이름	은기	한이	다빈	세영	유하
책의 수(권)	30	15	26		

(　　　)권

※ 여러 가지 회전판이 있습니다. 물음에 답하세요. (**5~6**)

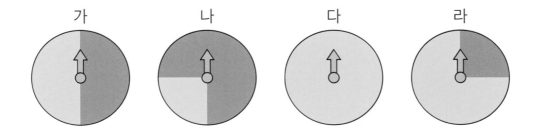

5 화살이 초록색에 멈추는 것이 불가능한 회전판의 기호를 써 보세요.

(　　　)

6 **1**부터 **6**까지의 수가 적힌 주사위를 굴려 나온 수가 **4** 이상일 가능성과 화살이 노란색에 멈출 가능성이 같은 회전판의 기호를 써 보세요.

(　　　)

memo

초등 수학 핵심파트 집중 완성

교과특강

초5

E 3

평균과 가능성

사고력
문제해결력

측정·규칙성
자료와 가능성

에듀히어로
Edu HERO

정답

· ·

E3

평균과 가능성

정답

1주차: 평균의 이해

1일차 쌓기나무 수의 평균

■ 쌓기나무를 옮겨 각 줄에 쌓은 쌓기나무의 수를 고르게 합니다. 빈칸에 알맞은 수를 써넣으세요.

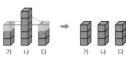

쌓기나무를 나에서 가로 [1]개를 옮기고, 나에서 다로 [1]개를 옮깁니다.

한 줄에 쌓은 쌓기나무 수의 평균: [3]개

쌓기나무의 수를 고르게 하면 한 줄이 3개가 되므로 쌓기나무 수의 평균은 3개입니다.

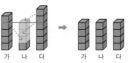

쌓기나무를 가에서 나로 [1]개를 옮기고, 다에서 나로 [2]개를 옮깁니다.

한 줄에 쌓은 쌓기나무 수의 평균: [4]개

> 자료의 값을 하나의 수로 나타낸 값을 대푯값이라고 합니다.
> 대푯값 중의 하나인 평균은 자료의 값을 모두 더한 다음 자료의 수로 나눈 수입니다.
> 평균을 구하는 방법은 1) 자료의 값을 고르게 하여 구하는 방법과 2) 자료의 값을 모두 더한 다음 자료의 수로 나누어 구하는 방법이 있습니다.

■ 각 줄에 쌓은 쌓기나무의 수를 모두 더한 다음 줄의 수로 나눕니다. 빈칸에 알맞은 수를 써넣으세요.

월 일

쌓기나무 수의 합:
5+6+4= [15]개

쌓기나무의 수를 모두 더한 다음 줄의 수로 나누면 쌓기나무 수의 평균을 구할 수 있습니다.

한 줄에 쌓은 쌓기나무 수의 평균:
15÷3= [5]개

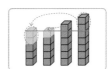

쌓기나무 수의 합:
3+4+ [6] + [7] = [20]개

한 줄에 쌓은 쌓기나무 수의 평균:
[20] ÷ [4] = [5]개

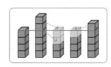

쌓기나무 수의 합:
4+6+ [2] + [3] + [5] = [20]개

한 줄에 쌓은 쌓기나무 수의 평균:
[20] ÷ [5] = [4]개

덧셈식에서 더하는 수를 쓰는 순서는 바뀌어도 정답입니다.

2일차 막대 높이의 평균

■ 예성이네 모둠 활동을 조사하여 나타낸 막대그래프입니다. 막대의 높이를 고르게 하고 빈칸에 알맞은 수를 써넣으세요. (옮기는 막대만큼 ×표 하고, 옮겨간 칸에 색칠하세요)

과녁에 화살을 맞힌 횟수

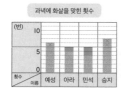

화살을 맞힌 횟수의 평균: 6번

받은 칭찬 스티커 수

칭찬 스티커 수의 평균: [8]개
막대의 높이를 고르게 하면 막대의 높이가 8이 되므로 칭찬 스티커 수의 평균은 8개입니다.

일주일 동안 읽은 책 수

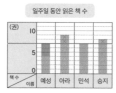

읽은 책 수의 평균: [7]권
막대의 높이를 고르게 하면 막대의 높이가 7이 되므로 읽은 책 수의 평균은 7권입니다.

제기차기 기록

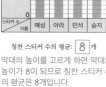
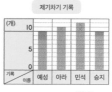

제기차기 기록의 평균: [9]개
막대의 높이를 고르게 하면 막대의 높이가 9가 되므로 제기차기 기록의 평균은 9개입니다.

■ 지난 주 월요일부터 금요일까지 최저 기온과 최고 기온을 나타낸 막대그래프입니다. 빈칸에 알맞은 수를 써넣으세요.

월 일

요일별 최저 기온

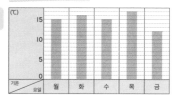

요일별 최저 기온의 합: 6+7+ [5] + [5] + [2] = [25](℃)

요일별 최저 기온의 평균: [25] ÷ [5] = [5](℃)

최저 기온을 모두 더한 다음 요일의 수로 나누면 요일별 최저 기온의 평균을 구할 수 있습니다.

요일별 최고 기온

요일별 최고 기온의 합: 15+16+15+ [17] + [12] = [75](℃)

요일별 최고 기온의 평균: [75] ÷ [5] = [15](℃)

덧셈식에서 더하는 수를 쓰는 순서는 바뀌어도 정답입니다.

3일차 자료의 값과 평균

■ 설아가 지난 한 달 동안 읽은 책 수를 주별로 나타낸 막대그래프입니다. 설아가 매주 책을 1권씩 더 읽은 경우의 막대그래프를 그리고 빈칸에 알맞은 수를 써넣으세요.

주별 읽은 책 수

4주 동안 읽은 책 수:

$7+\boxed{5}+\boxed{5}+3=\boxed{20}$ (권)

한 주에 읽은 책 수의 평균:

$\boxed{20}\div\boxed{4}=\boxed{5}$ (권)

↓ 매주 책을 1권씩 더 읽은 경우

주별 읽은 책 수

4주 동안 읽은 책 수:

$8+\boxed{6}+\boxed{6}+4=\boxed{24}$ (권)

한 주에 읽은 책 수의 평균:

$\boxed{24}\div\boxed{4}=\boxed{6}$ (권)

자료의 값이 각각 1씩 커지면 평균은 1 커집니다.

덧셈식에서 더하는 수를 쓰는 순서는 바뀌어도 정답입니다.

■ 호준이네 가족이 먹은 귤의 수를 나타낸 막대그래프입니다. 동생이 귤을 4개 더 먹은 경우의 막대그래프를 그리고 빈칸에 알맞은 수를 써넣으세요.

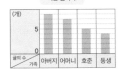

먹은 귤의 수

호준이네 가족이 먹은 귤 수:

$8+\boxed{7}+\boxed{5}+\boxed{4}=\boxed{24}$ (개)

호준이네 가족이 먹은 귤 수의 평균:

$\boxed{24}\div\boxed{4}=\boxed{6}$ (개)

↓ 동생이 귤을 4개 더 먹은 경우

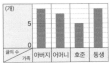

먹은 귤의 수

호준이네 가족이 먹은 귤 수:

$8+\boxed{7}+\boxed{5}+\boxed{8}=\boxed{28}$ (개)

호준이네 가족이 먹은 귤 수의 평균:

$\boxed{28}\div\boxed{4}=\boxed{7}$ (개)

한 자료의 값이 자료의 수만큼 커지면 평균은 1 커집니다.

덧셈식에서 더하는 수를 쓰는 순서는 바뀌어도 정답입니다.

4일차 자료의 수와 평균

■ 준상이가 어제와 오늘 볼링핀 쓰러뜨리기를 하여 쓰러뜨린 볼링핀의 수만큼 ○를 그려 나타내었습니다. 알맞은 말에 ○표 하세요.

어제 쓰러뜨린 볼링핀의 수

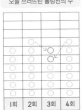

오늘 쓰러뜨린 볼링핀의 수

쓰러뜨린 전체 볼링핀의 수가 더 많은 날은 (어제, (오늘))입니다.
어제: $5+7+9=21$(개), 오늘: $6+7+4+7=24$(개)

볼링핀 쓰러뜨리기를 한 횟수가 더 많은 날은 (어제, (오늘))입니다.
어제: 3번, 오늘: 4번

쓰러뜨린 볼링핀 수의 평균이 더 많은 날은 ((어제), 오늘)입니다.
어제: $21\div3=7$(개), 오늘: $24\div4=6$(개)
(높이를 고르게 하면 어제는 7, 오늘은 6입니다.)

> 평균을 구하려면 자료의 값과 자료의 수를 알아야 합니다.
> 어제 쓰러뜨린 볼링핀의 수 1회 5개, 2회 7개, 3회 9개에서 쓰러뜨린 볼링핀의 수 5, 7, 9는 각각 자료의 값이고, 볼링핀 쓰러뜨리기를 한 횟수 3은 자료의 수를 나타냅니다.

■ 민희네 모둠과 승우네 모둠이 고리 던지기를 하여 넣은 고리의 수만큼 ○를 그려 나타내었습니다. 물음에 답하세요.

민희네 모둠이 넣은 고리 수

승우네 모둠이 넣은 고리 수

*자료 값을 더한 수가 같더라도 자료의 수가 다르면 평균이 달라집니다.

> 두 모둠은 각각 고리를 모두 몇 개 넣었나요?

민희네 모둠 (20)개, 승우네 모둠 (20)개
민희네 모둠: $6+3+7+4=20$(개), 승우네 모둠: $4+6+3+2+5=20$(개)

> 두 모둠의 구성원은 각각 몇 명인가요?

민희네 모둠 (4)명, 승우네 모둠 (5)명

> 두 모둠에서 넣은 고리 수의 평균은 각각 몇 개인가요?

민희네 모둠 (5)개, 승우네 모둠 (4)개
민희네 모둠: $20\div4=5$(개), 승우네 모둠: $20\div5=4$(개)
(높이를 고르게 하면 민희네 모둠은 5, 승우네 모둠은 4입니다.)

5일차 자료와 평균

재민이네 학교 5학년 반별로 안경을 쓴 학생 수를 나타낸 막대그래프의 일부입니다. 물음에 답하세요.

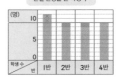

반별 안경을 쓴 학생 수

1반부터 3반까지 안경을 쓴 학생은 모두 몇 명인가요?

11+8+8=27(명)

(27)명

4반을 제외한 세 반에서 안경을 쓴 학생 수의 평균은 몇 명인가요?

27÷3=9(명)
(막대의 높이를 고르게 하면 9입니다.)

(9)명

4반에서 안경을 쓴 학생이 9명이라면 1반부터 4반까지 네 반에서 안경을 쓴 학생 수의 평균은 몇 명인가요?

안경을 쓴 학생 수: 27+9=36(명)
안경을 쓴 학생 수의 평균: 36÷4=9(명)
(고르게 한 막대의 높이가 변하지 않으므로 평균도 변하지 않습니다.)

(9)명

16 교과특강_E3

하은이네 모둠에서 축구공 차기를 하여 공을 넣은 횟수만큼 ○를 그려 나타내었습니다. 물음에 답하세요.

공을 넣은 횟수

하은	○	○	○	○	○	○			
태진	○	○	○	○	○				
다정	○	○	○	○	○				
주원									

주원이를 제외한 세 학생의 공을 넣은 횟수의 평균은 몇 번인가요?

공을 넣은 횟수의 합: 5+9+4=18(번), 평균: 18÷3=6(번)
(태진이가 넣은 공 중 1번은 하은, 2번은 다정으로 옮겨서 고르게 하면 6입니다.)

(6)번

주원이가 공을 6번 넣었다면 하은이네 모둠에서 공을 넣은 횟수의 평균은 몇 번인가요?

공을 넣은 횟수의 합: 18+6=24(번), 평균: 24÷4=6(번)
(고르게 한 ○이 변하지 않으므로 평균도 변하지 않습니다.)

(6)번

주원이가 공을 10번 넣었다면 하은이네 모둠에서 공을 넣은 횟수의 평균은 몇 번인가요?

공을 넣은 횟수의 합: 18+10=28(번)
평균: 28÷4=7(번)

하은	○	○	○	○	○	○			
태진	○	○	○	○					
다정	○	○	○	○					
주원	○	○	○	○	○	○	○		

(7)번

생각 더하기

방과 후 활동

동진이네 학교 5학년에서 방과 후 활동에 참여하는 학생을 반별로 나타낸 막대그래프입니다. 바르게 설명한 것의 기호를 모두 써 보세요.

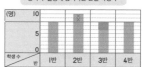

방과 후 활동에 참여하는 반별 학생 수

⊙ 방과 후 활동에 참여하는 반별 학생 수의 평균은 8명입니다.
⊙ 참여하는 1반과 2반의 학생 수가 서로 바뀌면 평균은 달라집니다.
⊙ 3반에서 1명이 더 참여한다면 참여하는 학생 수의 평균은 9명이 됩니다.
⊙ 각 반에서 1명씩 더 참여한다면 참여하는 학생 수의 평균은 9명이 됩니다.

(⊙, ⊙)

⊙ 참여하는 학생 수: 8+10+6+8=32(명), 평균: 32÷4=8(명)
(막대의 높이를 고르게 하면 8입니다.)
⊙ 참여하는 학생 수는 달라지지 않으므로 평균은 변하지 않습니다.
⊙ 1명이 더 참여하면 평균이 많아지긴 하지만 1명 더 많아지지는 않습니다.
⊙ 모두 4명이 더 참여하는 것이므로 평균은 36÷4=9(명)이 됩니다.

18 교과특강_E3

2주차: 평균 구하기

1일차 평균 구하는 방법

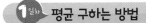

📖 두 가지 방법으로 네 수의 평균을 구합니다. 빈칸에 알맞은 수를 써넣으세요.

24
22
21
21

방법1 평균을 22로 예상한 후 22, (24, 21, [21])로 수를 옮기고

짝 지어 자료의 값을 고르게 하면 평균은 [22] 입니다.

24에서 21, 21로 각각 1씩 고르게 하면 22입니다.

방법2 (24+22+21+21)÷ [4] = [88] ÷ [4] = [22]

50
51
55
56

방법1 평균을 53으로 예상한 후 (50, [56]), (51, [55])로 수를 옮기고 짝 지어 자료의 값을 고르게 하면 평균은 [53] 입니다.

방법2 (50+51+55+56)÷ [4] = [212] ÷ [4] = [53]

수를 모두 더한 값을 수의 개수로 나누면 평균입니다.

네 수의 평균을 구하는 방법을 알아봅시다.

| 30 | 35 | 30 | 25 |

방법1) 평균을 예상하여 자료의 값을 고르게 하기
평균을 30으로 예상한 후 (30, 30), (35, 25)로 수를 옮기고 짝 지어 자료의 값을 고르게
하면 평균은 30입니다. 35에서 25로 5씩 옮깁니다.
방법2) 자료의 값을 모두 더해 자료의 수로 나누기
(30+35+30+25)÷4=120÷4=30

월 일

📖 두 가지 방법으로 다섯 수의 평균을 구합니다. 빈칸에 알맞은 수를 써넣으세요.

| 14 | 12 | 18 | 16 | 20 |

방법1 평균을 16으로 예상한 후 16, (14, [18]), (12, [20])으로 수를 옮기고

짝 지어 자료의 값을 고르게 하면 평균은 [16] 입니다.

18에서 14로 2를 옮기고, 20에서 12로 4를 옮겨 고르게 하면 16입니다.

방법2 ([14] + [12] + [18] + [16] + [20])÷ [5]

= [80] ÷ [5] = [16]

| 40 | 30 | 35 | 25 | 45 |

방법1 평균을 35로 예상한 후 35, (40, [30]), (25, [45])로 수를 옮기고

짝 지어 자료의 값을 고르게 하면 평균은 [35] 입니다.

40에서 30로 5를 옮기고, 45에서 25로 10을 옮겨 고르게 하면 35입니다.

방법2 ([40] + [30] + [35] + [25] + [45])÷ [5]

= [175] ÷ [5] = [35]

덧셈식에서 더하는 수를 쓰는 순서는 바뀌어도 정답입니다.

2일차 평균 구하기 (1)

📖 자료의 값과 자료의 수가 주어질 때 평균을 구해 보세요.

지인이네 모둠에서 독서한 시간

이름	지인	우종	예슬	민준
독서 시간(분)	40	50	35	55

➡ 독서 시간의 평균 (45)분

자료의 값 40, 50, 35, 55 (40+50+35+55)÷4=180÷4=45(분)
자료의 수 4

우진이네 가족이 딴 사과의 수

가족	아버지	어머니	형	우진
사과의 수(개)	27	33	24	28

➡ 딴 사과 수의 평균 (28)개

(27+33+24+28)÷4=112÷4=28(개)

나현이의 줄넘기 기록

회	1회	2회	3회	4회	5회
넘은 횟수(번)	55	60	62	63	60

➡ 넘은 횟수의 평균 (60)번

(55+60+62+63+60)÷5=300÷5=60(번)

[자료의 값을 더한 수, 자료의 수, 평균의 관계]
➡ (자료의 값+자료의 값+자료의 값+……)÷(자료의 수)=(평균)
➡ (자료의 값을 더한 수)÷(자료의 수)=(평균)
➡ (평균)×(자료의 수)=(자료의 값을 더한 수)

월 일

📖 윤호네 가족과 연지네 가족의 나이를 나타낸 표입니다. 빈칸에 알맞은 수 또는 말을 써넣으세요.

윤호네 가족의 나이

가족	나이(살)
아버지	45
어머니	41
윤호	12
동생	10

연지네 가족의 나이

가족	나이(살)
아버지	43
어머니	43
언니	13
연지	12
동생	4

윤호네 가족은 [4] 명, 연지네 가족은 [5] 명입니다.

가족 구성원의 수가 더 많은 가족은 [연지] 네 가족입니다.

윤호네 가족의 나이 평균은 [27] 살입니다.

(45+41+12+10)÷4=108÷4=27(살)

연지네 가족의 나이 평균은 [23] 살입니다.

(43+43+13+12+4)÷5=115÷5=23(살)

가족의 나이 평균이 더 많은 가족은 [윤호] 네 가족입니다.

정답

3일차 ▶ 평균 구하기 (2)

■ 자료의 값을 더한 수와 자료의 수가 주어질 때 평균을 구해 보세요.

모둠별 학생 수와 받은 칭찬 도장의 수

모둠	1모둠	2모둠	3모둠	4모둠
모둠 학생 수(명)	4	5	4	5
칭찬 도장의 수(개)	24	30	28	40

24÷4 30÷5 28÷4 40÷5
=6(개) =6(개) =7(개) =8(개)

모둠	1모둠	2모둠	3모둠	4모둠
칭찬 도장 수의 평균(개)	6	6	7	8

자료의 값을 더한 수와 자료의 수가 주어지면 평균을 구할 수 있습니다. 다만 이 경우에 자료의 값은 알 수 없습니다.
(한 모둠에서 어떤 학생이 칭찬 도장을 몇 개 받았는지는 알 수 없습니다.)

학생별 제기차기 횟수와 기록

이름	찬희	아진	태은	민욱
시도한 횟수(회)	6	6	8	8
기록의 합(개)	60	48	64	72

60÷6 48÷6 64÷8 72÷8
=10(개) =8(개) =8(개) =9(개)

이름	찬희	아진	태은	민욱
기록의 평균(개)	10	8	8	9

■ 현진이네 반 모둠별 학생 수와 각 모둠에서 일주일 동안 읽은 책 수를 나타낸 표입니다. 옳바른 말에 ○표, 틀린 말에 ×표 하세요.

모둠별 학생 수와 읽은 책의 수

모둠	1모둠	2모둠	3모둠	4모둠	5모둠
모둠 학생 수(명)	5	5	4	4	3
읽은 책의 수(권)	30	20	20	32	21

읽은 책 수의 평균(권) 30÷5 20÷5 20÷4 32÷4 21÷3
=6(권) =4(권) =5(권) =8(권) =7(권)

1모둠의 읽은 책 수의 평균은 6권입니다. ────── (○)

읽은 책 수의 평균이 5권인 모둠은 2모둠입니다. ── (×)
　　　　　　　　　　　　3모둠

5모둠은 1모둠보다 읽은 책 수의 평균이 더 많습니다. ── (○)
5모둠은 1모둠보다 평균 1권 더 많이 읽었습니다.

읽은 책 수의 평균이 가장 많은 모둠은 5모둠입니다. ── (×)
　　　　　　　　　　　　　　4모둠

읽은 책 수의 평균이 가장 적은 모둠은 2모둠입니다. ── (○)

4일차 ▶ 평균과 자료의 값

■ 월요일부터 금요일까지 5일 동안 최고 기온을 나타낸 표입니다. 물음에 답하세요.

요일별 최고 기온

요일	월	화	수	목	금
기온(℃)	23	17	21	25	24

요일별 최고 기온의 평균은 몇 ℃인가요?

(23+17+21+25+24)÷5=110÷5=22(℃) (22)℃

최고 기온이 평균보다 더 높은 요일을 모두 써 보세요.

(월요일, 목요일, 금요일)
또는 월, 목, 금

월요일의 최고 기온은 평균보다 몇 ℃ 더 높은가요?

23-22=1(℃) (1)℃

화요일의 최고 기온은 평균보다 몇 ℃ 더 낮은가요?

22-17=5(℃) (5)℃

■ 학생들의 키를 나타낸 표입니다. 물음에 답하세요.

학생들의 키

이름	준수	인아	다빈	정민	로건
키(cm)	145	147	146	144	148

학생들 키의 평균은 몇 cm인가요?

(145+147+146+144+148)÷5=730÷5=146(cm) (146)cm
146, (145, 147), (144, 148)로 수를 옮기고 짝 지어
고르게 하면 평균은 146cm입니다.

키가 평균보다 큰 학생들이 농구 대회에 참가하기로 했습니다. 농구 대회에 참가하는 학생의 이름을 모두 써 보세요.

(인아, 로건)

키가 가장 큰 학생은 평균보다 몇 cm 더 큰가요?

키가 가장 큰 학생은 로건이고 148cm입니다.
148-146=2(cm) (2)cm

키가 가장 작은 학생은 평균보다 몇 cm 더 작은가요?

키가 가장 작은 학생은 정민이고 144cm입니다.
146-144=2(cm) (2)cm

5일차 자료의 값을 더한 수

일 일

자료의 수와 평균이 주어질 때 자료의 값을 더한 수를 구해 보세요.

학년별 학급 수와 학생 수

학년	3학년	4학년	5학년	6학년
학급 수(개)	4	4	5	6
학생 수(명)	80	84	115	156

20×4 $=80$(명) 21×4 $=84$(명) 23×5 $=115$(명) 26×6 $=156$(명)

학년	3학년	4학년	5학년	6학년
학생 수의 평균(명)	20	21	23	26

3학년 학급 수: 4
3학년 평균: 20

지난 주 운동한 날수와 시간

이름	지은	유준	서우	한결
날수(일)	3	6	5	5
운동 시간의 합(분)	180	180	225	250

$60 \times 3=$ 180(분) $30 \times 6=$ 180(분) $45 \times 5=$ 225(분) $50 \times 5=$ 250(분)

이름	지은	유준	서우	한결
운동 시간의 평균(분)	60	30	45	50

자료의 값을 더한 수를 자료의 수로 나누면 평균이므로
평균에서 자료의 수를 곱하면 자료의 값을 더한 수입니다.

물음에 답하세요.

다인이네 학교 5학년은 1반부터 5반까지 있고, 학급당 학생 수의 평균이 25명입니다. 다인이네 학교 5학년 학생은 모두 몇 명일까요?

학생 수의 평균: 25명, 학급 수: 5개
5학년 학생 수: $25 \times 5 = 125$(명)

(125)명

어느 해 5월부터 8월까지 4달 동안 비 온 날수의 평균이 13일입니다. 4달 동안 비 온 날은 모두 며칠일까요?

비 온 날수의 평균: 13일, 달의 수: 4달
4달 동안 비 온 날수: $13 \times 4 = 52$(일)

(52)일

아버지, 어머니, 해진, 동생이 딴 밤의 수의 평균이 53개입니다. 네 사람이 딴 밤은 모두 몇 개일까요?

네 사람이 딴 밤 수의 평균: 53개, 사람 수: 4명
딴 밤의 수: $53 \times 4 = 212$(개)

(212)개

민호가 1주일 동안 컴퓨터를 사용한 시간의 평균이 50분입니다. 민호가 1주일 동안 컴퓨터를 사용한 시간은 모두 몇 분일까요?

컴퓨터 사용 시간의 평균: 50분, 날수: 7일
컴퓨터 사용 시간의 합: $50 \times 7 = 350$(분)

(350)분

생각 + 더하기

고장 난 버스

체험 학습을 가기 위해 버스 11대에 학생들이 각각 30명씩 탔습니다. 그런데 버스 한 대가 고장 나서 학생들이 버스 10대에 나누어 탔습니다. 이때 버스에 탄 학생 수의 평균은 몇 명일까요?

버스에 탄 학생 수의 평균 (33)명

버스에 탄 학생은 모두 $30 \times 11 = 330$(명)입니다.
330명이 10대에 나누어 탔으므로 버스에 탄 학생 수의 평균은
$330 \div 10 = 33$(명)입니다.

정답

3주차: 평균의 이용

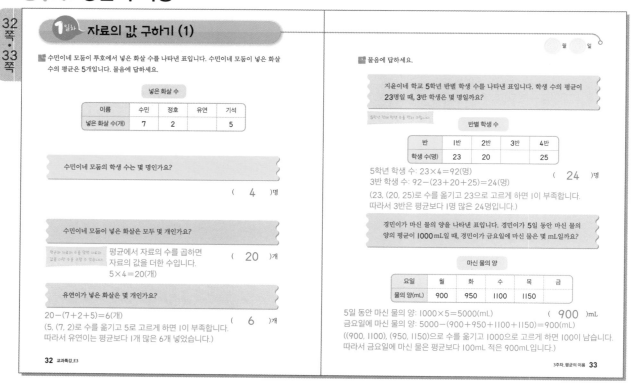

1일차 자료의 값 구하기 (1)

■ 수민이네 모둠이 투호에서 넣은 화살 수를 나타낸 표입니다. 수민이네 모둠이 넣은 화살 수의 평균은 5개입니다. 물음에 답하세요.

넣은 화살 수

이름	수민	정호	유연	기석
넣은 화살 수(개)	7	2		5

수민이네 모둠의 학생 수는 몇 명인가요?

(4)명

수민이네 모둠이 넣은 화살은 모두 몇 개인가요?

평균에서 자료의 수를 곱하면 자료의 값을 더한 수입니다.
5×4=20(개)

(20)개

유연이가 넣은 화살은 몇 개인가요?

20−(7+2+5)=6(개)
(5, (7, 2)로 수를 옮기고 5로 고르게 하면 1이 부족합니다.
따라서 유연이는 평균보다 1개 많은 6개 넣었습니다.)

(6)개

월 일

■ 물음에 답하세요.

지윤이네 학교 5학년 반별 학생 수를 나타낸 표입니다. 학생 수의 평균이 23명일 때, 3반 학생은 몇 명일까요?

5학년 반별 학생 수를 평균 구해봅니다

반별 학생 수

반	1반	2반	3반	4반
학생 수(명)	23	20		25

5학년 학생 수: 23×4=92(명)
3반 학생 수: 92−(23+20+25)=24(명)

(24)명

(23, (20, 25)로 수를 옮기고 23으로 고르게 하면 1이 부족합니다. 따라서 3반은 평균보다 1명 많은 24명입니다.)

경민이가 마신 물의 양을 나타낸 표입니다. 경민이가 5일 동안 마신 물의 양의 평균이 1000mL일 때, 경민이가 금요일에 마신 물은 몇 mL일까요?

마신 물의 양

요일	월	화	수	목	금
물의 양(mL)	900	950	1100	1150	

5일 동안 마신 물의 양: 1000×5=5000(mL)
금요일에 마신 물의 양: 5000−(900+950+1100+1150)=900(mL)

(900)mL

((900, 1100), (950, 1150)으로 수를 옮기고 1000으로 고르게 하면 100이 남습니다.
따라서 금요일에 마신 물은 평균보다 100mL 적은 900mL입니다.)

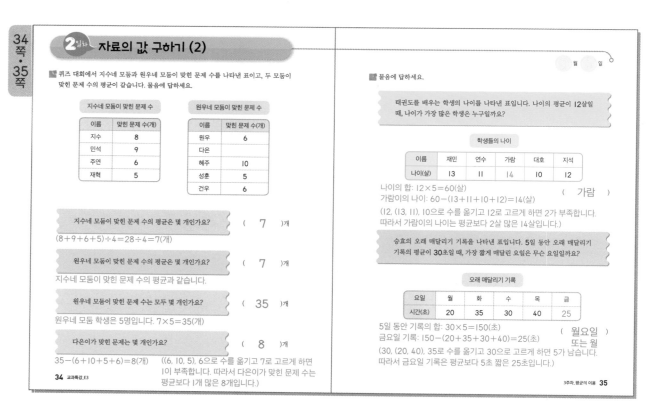

2일차 자료의 값 구하기 (2)

■ 퀴즈 대회에서 지수네 모둠과 원우네 모둠이 맞힌 문제 수를 나타낸 표이고, 두 모둠이 맞힌 문제 수의 평균이 같습니다. 물음에 답하세요.

지수네 모둠이 맞힌 문제 수

이름	맞힌 문제 수(개)
지수	8
민석	9
주연	6
재혁	5

원우네 모둠이 맞힌 문제 수

이름	맞힌 문제 수(개)
원우	6
다은	
혜주	10
성훈	5
건우	6

지수네 모둠이 맞힌 문제 수의 평균은 몇 개인가요?

(7)개

(8+9+6+5)÷4=28÷4=7(개)

원우네 모둠이 맞힌 문제 수의 평균은 몇 개인가요?

(7)개

지수네 모둠이 맞힌 문제 수의 평균과 같습니다.

원우네 모둠이 맞힌 문제 수는 모두 몇 개인가요?

(35)개

원우네 모둠 학생은 5명입니다. 7×5=35(개)

다은이가 맞힌 문제는 몇 개인가요?

(8)개

35−(6+10+5+6)=8(개)   ((6, 10, 5), 6으로 수를 옮기고 7로 고르게 하면
1이 부족합니다. 따라서 다은이가 맞힌 문제 수는 평균보다 1개 많은 8개입니다.)

월 일

■ 물음에 답하세요.

태권도를 배우는 학생의 나이를 나타낸 표입니다. 나이의 평균이 12살일 때, 나이가 가장 많은 학생은 누구일까요?

학생들의 나이

이름	재민	연수	가람	대호	지석
나이(살)	13	11	14	10	12

나이의 합: 12×5=60(살)
가람이의 나이: 60−(13+11+10+12)=14(살)

(가람)

(12, (13, 11), 10으로 수를 옮기고 12로 고르게 하면 2가 부족합니다.
따라서 가람이의 나이는 평균보다 2살 많은 14살입니다.)

승효의 오래 매달리기 기록을 나타낸 표입니다. 5일 동안 오래 매달리기 기록의 평균이 30초일 때, 가장 짧게 매달린 요일은 무슨 요일일까요?

오래 매달리기 기록

요일	월	화	수	목	금
시간(초)	20	35	30	40	25

5일 동안 기록의 합: 30×5=150(초)
금요일 기록: 150−(20+35+30+40)=25(초)

(월요일 또는 월)

(30, (20, 40), 35로 수를 옮기고 30으로 고르게 하면 5가 남습니다.
따라서 금요일 기록은 평균보다 5초 짧은 25초입니다.)

3일차 늘어난 자료의 수 (1)

수의 평균을 구해 보세요.

| 24 | 20 | 28 | ➡ 평균 (**24**) |

(24+20+28)÷3=72÷3=24

| 24 | 20 | 28 | 24 | ➡ 평균 (**24**) |

(72+24)÷4=96÷4=24
세 수의 평균은 24, 넷째 수가 24이면 평균은 변하지 않습니다.

| 54 | 44 | 52 | ➡ 평균 (**50**) |

(54+44+52)÷3=150÷3=50

| 54 | 44 | 52 | 54 | ➡ 평균 (**51**) |

(150+54)÷4=204÷4=51
세 수의 평균은 50, 넷째 수가 50보다 크면 평균은 커집니다.

| 30 | 44 | 41 | 37 | ➡ 평균 (**38**) |

(30+44+41+37)÷4=152÷4=38

| 30 | 44 | 41 | 37 | 38 | ➡ 평균 (**38**) |

(152+38)÷5=190÷5=38
네 수의 평균은 38, 다섯째 수가 38이면 평균은 변하지 않습니다.

| 15 | 25 | 14 | 18 | ➡ 평균 (**18**) |

(15+25+14+18)÷4=72÷4=18

| 15 | 25 | 14 | 18 | 13 | ➡ 평균 (**17**) |

(72+13)÷5=85÷5=17
네 수의 평균은 18, 다섯째 수가 18보다 작으면 평균은 작아집니다.

지후의 줄넘기 기록입니다. 빈칸에 알맞은 수를 써넣고 알맞은 말에 ◯표 하세요.

지후의 줄넘기 기록

회	1회	2회	3회	4회
넘은 횟수(번)	65	44	61	58

4회 동안 줄넘기 기록의 평균은 **57** 번입니다.

(65+44+61+58)÷4=228÷4=57(번)

5회 동안 줄넘기 기록의 평균이 4회 동안 줄넘기 기록의 평균과 같으려면 5회째는 **57** 번 넘어야 합니다.

(228+57)÷5=285÷5=57(번)

5회 동안 줄넘기 기록의 평균이 4회 동안 줄넘기 기록의 평균보다 많으려면 5회째는 **57** 번보다 (⃝많이 , 적게) 넘어야 합니다.

57번 초과(또는 58번 이상)인 횟수로 넘어야 합니다.

5회 동안 줄넘기 기록의 평균이 4회 동안 줄넘기 기록의 평균보다 적으려면 5회째는 **57** 번보다 (많이 , ⃝적게) 넘어야 합니다.

57번 미만(또는 56번 이하)인 횟수로 넘어야 합니다.

4일차 늘어난 자료의 수 (2)

물음에 답하세요.

나은이가 책을 읽은 시간을 나타낸 표입니다. 금요일에는 책을 50분 읽었다면 금요일을 포함하여 5일 동안 책을 읽은 시간의 평균은 몇 분일까요?

책을 읽은 시간

요일	월	화	수	목
시간(분)	40	20	55	35

금요일을 포함하므로 자료의 수는 5입니다. (**40**)분
(40+20+55+35+50)÷5=200÷5=40(분)

수현이네 가족의 나이를 나타낸 표입니다. 할머니의 나이가 72살이라면 할머니를 포함한 수현이네 가족 나이의 평균은 몇 살일까요?

수현이네 가족의 나이

가족	아버지	어머니	수현	동생
나이(살)	45	43	12	8

할머니를 포함하므로 자료의 수는 5입니다. (**36**)살
(45+43+12+8+72)÷5=180÷5=36(살)

규성이의 달리기 기록입니다. 물음에 답하세요.

규성이의 달리기 기록

회	1회	2회	3회	4회	5회
걸린 시간(초)	18	16	18	20	

5회를 제외한 4회 동안 달리기 기록의 평균은 몇 초인가요?

(18+16+18+20)÷4=72÷4=18(초) (**18**)초

5회 동안 달리기 기록의 평균이 4회 동안 달리기 기록의 평균과 같으려면 5회째 달리기 기록은 몇 초여야 하나요?

5회째 달리기 기록이 4회 동안의 평균과 같으면 평균은 변하지 않습니다. (**18**)초
(72+18)÷5=90÷5=18(초)

규성이가 5회째 달리는 도중 넘어져 기록이 28초가 나왔습니다. 5회 동안 달리기 기록의 평균은 몇 초인가요?

5회를 포함하므로 자료의 수는 5입니다. (**20**)초
(72+28)÷5=100÷5=20(초)

5일차 자료의 수와 평균

빈칸에 알맞은 수를 써넣으세요.

용주네 반에서 일주일 동안 책을 60권 읽으려고 합니다.

용주네 반에 5모둠이 있다면 한 모둠당 책을 평균 **12** 권씩 읽어야 합니다.
60÷5=12(권)
한 모둠당 학생이 4명씩 있다면 한 명당 책을 평균 **3** 권씩 읽어야 합니다.
한 모둠당 평균 12권씩 읽어야 하고, 한 모둠에 학생이 4명씩
있으므로 한 명당 책을 평균 12÷4=3(권)씩 읽어야 합니다.
또는 용주네 반 학생이 20명이므로 60÷20=3(권)으로 구할 수도 있습니다.

농장에서 사과를 400개 따려고 합니다.

8가족이 따려면 한 가족당 사과를 평균 **50** 개씩 따야 합니다.
400÷8=50(개)
한 가족당 5명씩 있다면 한 명당 사과를 평균 **10** 개씩 따야 합니다.
한 가족당 평균 50개씩 따야 하고, 한 가족당 5명씩 있으므로
한 명당 사과를 평균 50÷5=10(개)씩 따야 합니다.
또는 40명이 사과를 따는 것이므로 400÷40=10(개)로 구할 수도 있습니다.

다민이네 학교 5학년 반별 학생 수를 나타낸 표이고, 5학년 학생들이 헌 종이 500 kg을
모으려고 합니다. 물음에 답하세요.

반별 학생 수

반	1반	2반	3반	4반	5반
학생 수(명)	21	18	19	20	22

헌 종이 500 kg을 모으려면 한 반당 평균 몇 kg씩 모아야 하나요?

500kg을 5개 반이 모으려면
한 반당 평균 500÷5=100(kg)씩 모아야 합니다.　　　(**100**)kg

5학년 한 반당 학생 수의 평균은 몇 명인가요?

(21+18+19+20+22)÷5=100÷5=20(명)　　　(**20**)명

헌 종이를 모으려면 학생 한 명당 평균 몇 kg씩 모아야 하나요?

한 반당 평균 100kg씩 모아야 하고, 한 반당 학생 수가 평균 20명
이므로 한 명당 헌 종이를 평균 100÷20=5(kg)씩 모아야 합니다.　(**5**)kg
또는 전체 학생이 100명이므로 500÷100=5(kg)으로 구할 수도 있습니다.

생각 더하기

평균 올리기

준영이의 1학기 시험 점수를 나타낸 표입니다. 2학기 시험에서는 평균 점수
를 1학기 평균 점수보다 1점 더 높이려고 합니다. 평균 점수를 1점 더 높이는
방법으로 알맞은 것의 기호를 모두 써 보세요.

1학기 시험 점수

과목	국어	수학	사회	과학
점수(점)	80	90	95	75

ⓐ 1학기 점수에서 국어 점수만 1점 더 높입니다.
ⓑ 1학기 점수에서 네 과목의 점수를 각각 4점씩 더 높입니다.
ⓒ 1학기 점수에서 과학 점수만 4점 더 높입니다.
ⓓ 1학기 점수에서 네 과목의 점수를 각각 1점씩 더 높입니다.

(**ⓑ, ⓓ**)

1학기 점수 평균은 (80+90+95+75)÷4=340÷4=85(점)입니다.
평균 86점이 되려면 점수 합이 86×4=344(점)이 되어야 하고,
1학기보다 점수를 4점 더 높여야 합니다.
*자료의 수가 4이므로 평균을 1 높이려면 자료의 값을 4만큼 높여야 합니다.
ⓐ 점수를 1점 더 높이면 평균은 1점까지 오르지 않습니다.
ⓒ 점수를 4점씩 높이면 모두 16점 높아지므로 평균은 4점 높아집니다.

[참고]
1학기 점수 평균 (80+90+95+75)÷4=340÷4=85(점)
ⓐ (81+90+95+75)÷4=341÷4=85…1(점)
ⓑ (84+94+99+79)÷4=356÷4=89(점)
ⓒ (80+90+95+79)÷4=344÷4=86(점)
ⓓ (81+91+96+76)÷4=344÷4=86(점)

4주차: 가능성

1일차 가능성 표현하기

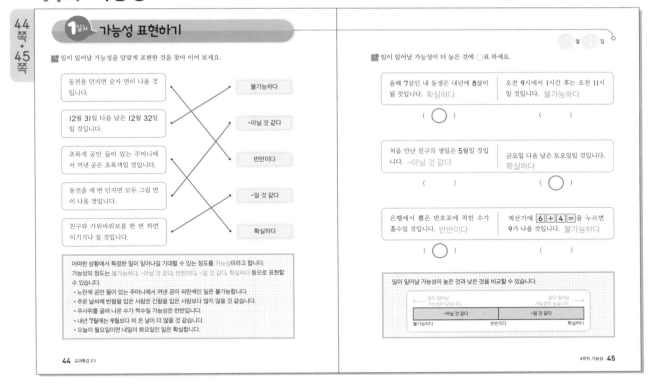

■ 일이 일어날 가능성을 알맞게 표현한 것을 찾아 이어 보세요.

동전을 던지면 숫자 면이 나올 것입니다.		불가능하다
12월 31일 다음 날은 12월 32일일 것입니다.		~아닐 것 같다
초록색 공만 들어 있는 주머니에서 꺼낸 공은 초록색일 것입니다.		반반이다
동전을 세 번 던지면 모두 그림 면이 나올 것입니다.		~일 것 같다
친구와 가위바위보를 한 번 하면 이기거나 질 것입니다.		확실하다

어떠한 상황에서 특정한 일이 일어나길 기대할 수 있는 정도를 가능성이라고 합니다.
가능성의 정도는 불가능하다, ~아닐 것 같다, 반반이다, ~일 것 같다, 확실하다 등으로 표현할 수 있습니다.
· 노란색 공만 들어 있는 주머니에서 꺼낸 공이 파란색인 일은 불가능합니다.
· 추운 날씨에 반팔을 입은 사람은 긴팔을 입은 사람보다 많지 않을 것 같습니다.
· 주사위를 굴려 나온 수가 짝수일 가능성은 반반입니다.
· 내년 7월에는 9월보다 비 온 날이 더 많을 것 같습니다.
· 오늘이 월요일이면 내일이 화요일인 일은 확실합니다.

■ 일이 일어날 가능성이 더 높은 것에 ◯표 하세요.

올해 7살인 내 동생은 내년에 8살이 될 것입니다. 확실하다	오전 9시에서 1시간 후는 오전 11시일 것입니다. 불가능하다
(◯)	( )
처음 만난 친구의 생일은 5월일 것입니다. ~아닐 것 같다	금요일 다음 날은 토요일일 것입니다. 확실하다
( )	(◯)
은행에서 뽑은 번호표에 적힌 수가 홀수일 것입니다. 반반이다	계산기에 6 + 4 = 을 누르면 9가 나올 것입니다. 불가능하다
(◯)	( )

일이 일어날 가능성이 높은 것과 낮은 것을 비교할 수 있습니다.

← 일이 일어날 가능성이 낮습니다		일이 일어날 가능성이 높습니다 →
~아닐 것 같다		~일 것 같다
불가능하다	반반이다	확실하다

2일차 구슬 꺼내기

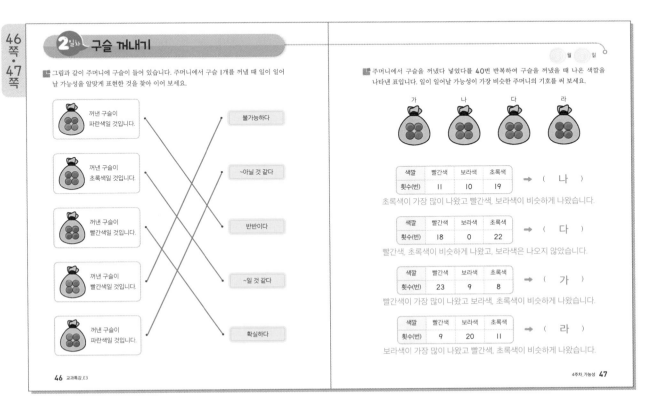

■ 그림과 같이 주머니에 구슬이 들어 있습니다. 주머니에서 구슬 1개를 꺼낼 때 일이 일어날 가능성을 알맞게 표현한 것을 찾아 이어 보세요.

꺼낸 구슬이 파란색일 것입니다.		불가능하다
꺼낸 구슬이 초록색일 것입니다.		~아닐 것 같다
꺼낸 구슬이 빨간색일 것입니다.		반반이다
꺼낸 구슬이 빨간색일 것입니다.		~일 것 같다
꺼낸 구슬이 파란색일 것입니다.		확실하다

■ 주머니에서 구슬을 꺼냈다 넣었다를 40번 반복하여 구슬을 꺼냈을 때 나온 색깔을 나타낸 표입니다. 일이 일어날 가능성이 가장 비슷한 주머니의 기호를 써 보세요.

가   나   다   라

색깔	빨간색	보라색	초록색
횟수(번)	11	10	19

➡ (나)

초록색이 가장 많이 나왔고 빨간색, 보라색이 비슷하게 나왔습니다.

색깔	빨간색	보라색	초록색
횟수(번)	18	0	22

➡ (다)

빨간색, 초록색이 비슷하게 나왔고, 보라색은 나오지 않았습니다.

색깔	빨간색	보라색	초록색
횟수(번)	23	9	8

➡ (가)

빨간색이 가장 많이 나왔고 보라색, 초록색이 비슷하게 나왔습니다.

색깔	빨간색	보라색	초록색
횟수(번)	9	20	11

➡ (라)

보라색이 가장 많이 나왔고 빨간색, 초록색이 비슷하게 나왔습니다.

3일차 주사위 굴리기

■ 1부터 6까지의 눈이 그려진 주사위가 있습니다. 주사위를 굴릴 때 일이 일어날 가능성을 찾아 ○표 하세요.

주사위 눈의 수가 7이 나올 것입니다.

(**불가능하다** , ~아닐 것 같다 , 반반이다 , ~일 것 같다 , 확실하다)

7은 나올 수 없으므로 '불가능하다'입니다.

주사위 눈의 수가 짝수로 나올 것입니다.

(불가능하다 , ~아닐 것 같다 , **반반이다** , ~일 것 같다 , 확실하다)

1, 3, 5는 홀수, 2, 4, 6은 짝수이므로 짝수로 나올 가능성은 '반반이다'입니다.

주사위 눈의 수가 1보다 큰 수가 나올 것입니다.

(불가능하다 , ~아닐 것 같다 , 반반이다 , **~일 것 같다** , 확실하다)

2부터 6까지의 수가 나올 가능성이 더 높으므로 1보다 큰 수가 나올 가능성은 '~일 것 같다'입니다.

두 번 굴리면 주사위 눈의 수가 모두 6이 나올 것입니다.

(불가능하다 , **~아닐 것 같다** , 반반이다 , ~일 것 같다 , 확실하다)

1부터 5까지의 수가 나올 가능성이 더 높으므로 두 번 모두 6이 나올 가능성은 '~아닐 것 같다'입니다.

48 교과특강_E3

■ 1부터 6까지의 수가 적힌 주사위를 한 번 굴립니다. 일이 일어날 가능성이 낮은 순서대로 기호를 써 보세요.

반반이다
확실하다
~아닐 것 같다

| ㉠ 주사위의 수가 홀수로 나올 가능성 |
| ㉡ 주사위의 수가 7보다 작은 수로 나올 가능성 |
| ㉢ 주사위의 수가 3이 나올 가능성 |

(㉢ , ㉠ , ㉡)

불가능하다
~아닐 것 같다
~일 것 같다

| ㉠ 주사위의 수가 10이 나올 가능성 |
| ㉡ 주사위의 수가 5보다 큰 수로 나올 가능성 |
| ㉢ 주사위의 수가 2 이상으로 나올 가능성 |

(㉠ , ㉡ , ㉢)

~일 것 같다
불가능하다
반반이다

| ㉠ 주사위의 수가 6보다 작은 수로 나올 가능성 |
| ㉡ 주사위의 수가 7 이상으로 나올 가능성 |
| ㉢ 주사위의 수가 2의 배수로 나올 가능성 |

(㉡ , ㉢ , ㉠)

~아닐 것 같다
확실하다
반반이다

| ㉠ 주사위의 수가 1이 나올 가능성 |
| ㉡ 주사위의 수가 1 이상 6 이하로 나올 가능성 |
| ㉢ 주사위의 수가 3 이하로 나올 가능성 |

(㉠ , ㉢ , ㉡)

4일차 회전판 돌리기

■ 여러 가지 회전판이 있습니다. 빈칸에 알맞은 회전판의 기호를 써넣으세요.

가 　나 　다 　라 　마

화살이 파란색에 멈추는 것이 불가능한 회전판은 나 입니다.

화살이 파란색에 멈추는 것이 확실한 회전판은 가 입니다.

화살이 파란색과 빨간색에 멈출 가능성이 비슷한 회전판은 마 입니다.

다와 라 중 화살이 빨간색에 멈출 가능성이 더 높은 회전판은 라 입니다.

라와 마 중 화살이 파란색에 멈출 가능성이 더 높은 회전판은 마 입니다.

화살이 파란색에 멈출 가능성이 높은 순서대로 가 , 다 , 마 , 라 , 나 입니다.

50 교과특강_E3

■ 빨간색, 파란색, 노란색으로 만든 회전판이 있습니다. 물음에 답하세요.

가 　나 　다

화살이 노란색에 멈출 가능성이 파란색에 멈출 가능성의 2배인 회전판의 기호를 써 보세요.

노란색 부분의 넓이가 파란색 부분 넓이의 2배인 회전판을 찾습니다.

(나)

어떤 회전판을 60번 돌려 화살이 멈춘 횟수를 나타낸 표입니다. 표와 일이 일어날 가능성이 가장 비슷한 회전판의 기호를 써 보세요.

색깔	빨간색	파란색	노란색
횟수(번)	20	19	21

(가)

각 색깔에 멈춘 횟수가 서로 비슷하므로 세 가지 색깔의 넓이가 같은 회전판이 표와 일이 일어날 가능성이 가장 비슷합니다.

화살이 노란색에 멈출 가능성이 높은 순서대로 기호를 써 보세요.

가: ~아닐 것 같다
나: 반반이다
다: ~일 것 같다

(다 , 나 , 가)

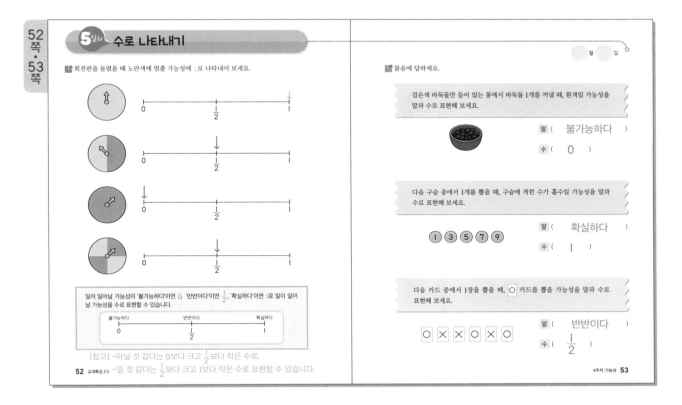

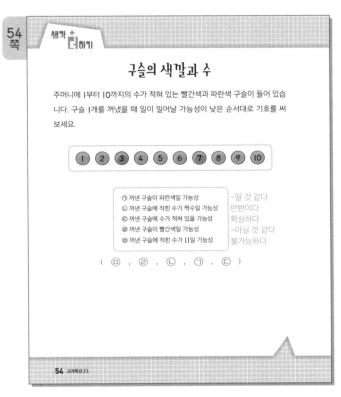

정답

링크: 조건과 가능성

LINK 1 조건에 맞게 잇기

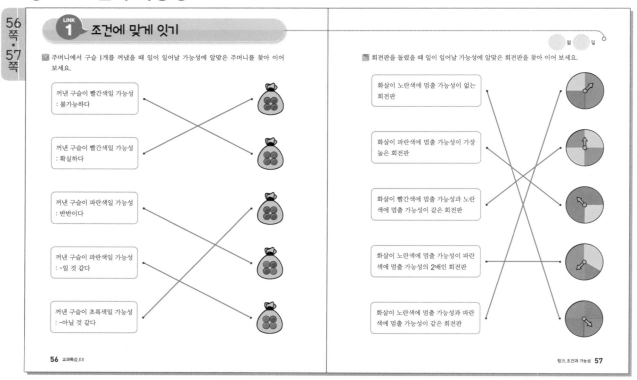

LINK 2 구슬 색칠하기

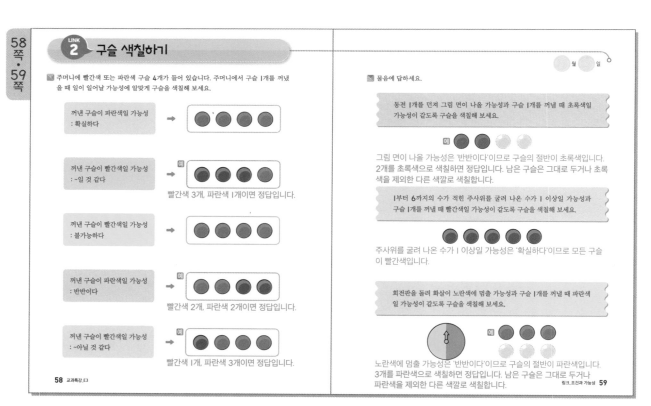

LINK 3 회전판 색칠하기

☑ 설명에 맞게 회전판을 색칠해 보세요.

• 화살이 파란색에 멈출 가능성과 빨간색에 멈출 가능성이 같습니다.

예 또는

파란색 2칸, 빨간색 2칸 또는
파란색 1칸, 빨간색 1칸을 색칠하면 정답입니다.

• 화살이 노란색에 멈출 가능성은 파란색에 멈출 가능성의 2배입니다.

예

노란색 2칸, 파란색 1칸을 색칠하면 정답입니다.

• 화살이 파란색에 멈출 가능성이 가장 높습니다.
• 화살이 빨간색에 멈출 가능성과 노란색에 멈출 가능성이 같습니다.

 또는

• 화살이 노란색에 멈출 가능성이 가장 높습니다.
• 화살이 파란색에 멈출 가능성은 빨간색에 멈출 가능성의 2배입니다.

☑ 물음에 답하세요.

빨간색 공 4개가 들어 있는 상자에서 공 1개를 꺼낼 때 빨간색일 가능성과 화살이 파란색에 멈출 가능성이 같도록 회전판을 색칠해 보세요.

공이 빨간색일 가능성은 '확실하다' 이므로 회전판 전체가 파란색입니다.

○× 퀴즈에서 ○라고 답했을 때 정답을 맞혔을 가능성과 화살이 노란색에 멈출 가능성이 같도록 회전판을 색칠해 보세요.

정답이 ○일 가능성은 '반반이다' 이므로 회전판의 절반이 노란색 입니다.

예

노란색 2칸을 색칠하면 정답 입니다. 남은 칸은 그대로 두거나 노란색을 제외한 다른 색깔로 색칠합니다.

1부터 6까지의 수가 적힌 주사위를 굴려 나온 수가 홀수일 가능성과 화살이 빨간색에 멈출 가능성이 같도록 회전판을 색칠해 보세요.

주사위를 굴려 나온 수가 홀수일 가능성은 '반반이다'이므로 회전판의 절반이 빨간색입니다.

예

빨간색 3칸을 색칠하면 정답 입니다. 남은 칸은 그대로 두거나 빨간색을 제외한 다른 색깔로 색칠합니다.

정답

형성평가

···· 형성평가 1회 ····

1 시안이네 학교 5학년 반별 학생 수를 나타낸 표입니다. 네 반의 학생 수의 평균을 구합니다. 빈칸에 알맞은 수를 써넣으세요.

반별 학생 수

반	1반	2반	3반	4반
학생 수(명)	23	21	18	22

(23 + 21 + 18 + 22) ÷ 4 = 84 ÷ 4 = 21 (명)

2 민찬, 서연이의 키는 각각 148cm이고, 윤호, 예솔이의 키는 각각 152cm입니다. 네 친구의 키의 평균은 몇 cm일까요?

148, 148, 152, 152의 평균을 구합니다. (150)cm
(148+148+152+152)÷4=600÷4=150(cm)
(148, 152), (148, 152)로 수를 옮기고 짝 지어 고르게 하면 평균은 150cm입니다.

3 하연이가 5일 동안 저금한 돈의 평균은 200원입니다. 하연이가 목요일에 저금한 돈은 얼마인지 표의 빈 곳에 알맞은 수를 써넣으세요.

(150, 250), (400, 0)으로 수를 옮기고 고르게 하면 200이 되므로 목요일에는 평균과 같은 200원을 저금했습니다.

저금한 돈

요일	월	화	수	목	금
저금한 돈(원)	150	400	0	200	250

5일 동안 저금한 돈: 200×5=1000(원)
목요일에 저금한 돈: 1000−(150+400+0+250)=200(원)

4 현서네 모둠의 제기차기 기록을 나타낸 표입니다. 제기차기 기록이 12개인 준이가 현서네 모둠이 되었습니다. 준이의 기록을 포함한 현서네 모둠의 제기차기 기록의 평균은 몇 개일까요?

현서네 모둠의 제기차기 기록

이름	현서	다울	진영	희성
제기차기 기록(개)	8	4	11	5

(8)개

준이의 기록을 포함하므로 자료의 수는 5입니다.
(8+4+11+5+12)÷5=40÷5=8(개)

※ 가 상자에는 검은색 바둑돌 2개와 흰색 바둑돌 2개, 나 상자에는 검은색 바둑돌 4개가 들어 있습니다. 상자에서 바둑돌 1개를 꺼냅니다. 물음에 답하세요. (5-6)

 가   나

5 가 상자에서 꺼낸 바둑돌이 검은색일 가능성을 말과 수로 표현해 보세요.

말 (반반이다)   수 ($\frac{1}{2}$)

6 가능성이 높은 순서대로 기호를 써 보세요.

반반이다
확실하다
불가능하다

⊙ 가 상자에서 꺼낸 바둑돌이 흰색일 가능성
ⓒ 나 상자에서 꺼낸 바둑돌이 검은색일 가능성
ⓒ 나 상자에서 꺼낸 바둑돌이 흰색일 가능성

(ⓒ, ⊙, ⓒ)

···· 형성평가 2회 ····

※ 월요일부터 금요일까지 최고 기온을 나타낸 표입니다. 물음에 답하세요. (1-2)

요일별 최고 기온

요일	월	화	수	목	금
기온(℃)	30	34	35	32	29

1 요일별 최고 기온의 평균은 몇 ℃일까요?

(30+34+35+32+29)÷5=160÷5=32(℃) (32)℃
32, (30, 34), (29, 35)로 수를 옮기고 짝 지어
고르게 하면 평균은 32℃입니다.

2 요일별 최고 기온의 평균보다 최고 기온이 더 높은 요일을 모두 구해 보세요.

(화요일, 수요일)또는 화, 수

한 모둠당 평균 40개씩 접어야 하고, 한 모둠에 학생이 5명씩 있으므로 한 명당 종이학을 평균 40÷5=8(개)씩 접어야 합니다.
또는 학생이 30명이므로 240÷30=8(개)로 구할 수도 있습니다.

3 진원이네 반에서 종이학 240개를 접으려고 합니다. 진원이네 반에 여섯 모둠이 있고, 각 모둠에 학생이 5명씩 있습니다. 빈칸에 알맞은 수를 써넣으세요.

한 모둠당 접어야 하는 종이학 수의 평균은 40 개이고,
240÷6=40(개)
한 명당 접어야 하는 종이학 수의 평균은 8 개입니다.

4 은기네 모둠이 도서관에서 빌린 책의 수를 나타낸 표입니다. 은기네 모둠이 빌린 책 수의 평균이 23권이고, 세영이와 유하가 빌린 책의 수가 같습니다. 세영이가 빌린 책은 몇 권일까요?

빌린 책의 수

이름	은기	한이	다빈	세영	유하
책의 수(권)	30	15	26		

(22)권

은기네 모둠이 빌린 책의 수: 23×5=115(권)
세영이와 유하가 빌린 책 수의 합: 115−(30+15+26)=44(권)
세영이와 유하가 빌린 책 수가 같으므로 각각 22권씩 빌렸습니다.

※ 여러 가지 회전판이 있습니다. 물음에 답하세요. (5-6)

 가   나   다   라

5 화살이 초록색에 멈추는 것이 불가능한 회전판의 기호를 써 보세요.

(다)

6 1부터 6까지의 수가 적힌 주사위를 굴려 나온 수가 4 이상일 가능성과 화살이 노란색에 멈출 가능성이 같은 회전판의 기호를 써 보세요.

주사위를 굴려 나온 수가 4 이상일 가능성은 (가)
'반반이다'입니다.

초등 수학 핵심파트 집중 완성 교과특강

"교과수학을 완성합니다."

수와 도형의 배열에서 규칙을 찾아
사고력을 기릅니다.

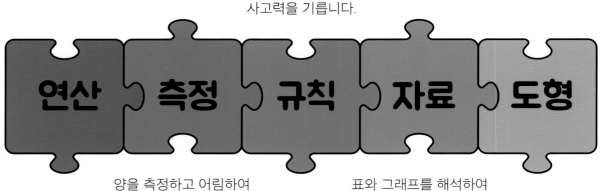

양을 측정하고 어림하여
실생활의 수 감각을 기릅니다.

표와 그래프를 해석하여
추론능력을 기릅니다.